MONJA COEN ROSHI

Mãos em prece

Mãos em prece
1ª edição: Novembro 2021

Autora:
Monja Cohen Roshi

Preparação de texto:
Vitor Donofrio

Revisão:
João Paulo Putini e Lays Sabrina

Projeto gráfico e capa:
Jéssica Wendy

DADOS INTERNACIONAIS DE CATALOGAÇÃO NA PUBLICAÇÃO (CIP)

Coen, Monja, 1947-
Mãos em prece : seja a mudança que você quer no mundo / Monja Cohen Roshi. – São Paulo : Citadel, 2021.
336 p : color.

ISBN: 978-65-5047-111-8

1. Roshi, Cohen - Biografia 2. Desenvolvimento pessoal I. Título

21-4735 CDD 922

Angélica Ilacqua - Bibliotecária - CRB-8/7057

Produção editorial e distribuição:

CITADEL Grupo Editorial

contato@citadel.com.br
www.citadel.com.br

MONJA COEN ROSHI

Mãos em prece

Seja a **mudança**
que você quer ver
no mundo

CITADEL
Grupo Editorial

2021

Introdução

Sala de reuniões em Tóquio – janeiro de 2001.

Um julgamento na sede administrativa da Tradição Soto Shu Zen Budista.

Serei julgada. Sou acusada de me passar por bispo, o que não fui, não sou nem serei.

Trouxe uma pilha de documentos – testemunhos escritos – a meu favor.

Que carma é esse?

Ao meu lado direito, um pouco afastada, como ouvinte, está minha superiora do Mosteiro Feminino de Nagoya, Aoyama Shundo Docho Roshi. À minha frente, o superior geral administrativo da Ordem Soto Shu. À minha direita, sentados à mesma mesa, estão o superintendente geral da América do Sul e um senhor de origem japonesa, residente no Brasil – representando a acusação. Em frente a eles, secretários e membros da administração da nossa tradição, do Departamento Educacional, onde está alojado o Departamento Internacional. A sessão é toda em japonês, que compreendo com algum grau de dificuldade.

Há tensão.

Antes de entrar para essa reunião, minha superiora do mosteiro de Nagoya, Aoyama Shundo Docho Roshi, havia me convidado para um chá no restaurante do andar térreo. Após nos acomodarmos, ela me disse:

– Não se defenda de coisa alguma. Já foi decidido. Apenas agradeça e diga que você se retira do templo Busshinji, em São Paulo.

– Mas tenho vários documentos provando que a acusação não procede.

Docho Roshi insistiu:

– Apenas agradeça e se despeça.

Não era um julgamento de fato. Eu não seria ouvida e minhas provas não seriam consideradas.

Eu era, naquele momento, presidente do Conselho Diretivo do Templo Busshinji, no bairro da Liberdade, em São Paulo, onde estava instalada a sede da Superintendência Geral da América do Sul. Eu fora eleita de forma legal, em assembleia geral extraordinária.

"Sou como um trator. Você sabe por que me escolheram para ser o superintendente da América do Sul?" Essa frase me foi dita quando conheci o monge que assumiria como o novo superintendente para a América do Sul. Estávamos participando de eventos relacionados à imigração japonesa no Peru.

"Um trator", me pus a pensar. "Será que ele passaria por cima de tudo o que havíamos construído em seis anos de prática contínua? Seria essa a mensagem?" Difícil de acreditar, mas foi assim.

O novo superintendente constantemente insistia para que eu renunciasse ao meu cargo, que saísse do templo, pois ele havia chegado do Japão e não era possível que um templo fosse dirigido por duas pessoas, como um animal com duas cabeças.

Eu sofria. Havia criado relacionamentos e ordenado vários discípulos e discípulas. Eu era respeitada, bem considerada pela colônia japonesa e bem recebida pelos brasileiros. Por que meu superior me considerava uma ameaça a ele e ao templo? Por que não poderíamos trabalhar juntos? Ele não falava português, eu poderia atuar como um elo entre ele e a comunidade local.

Entretanto, viera como um trator a desmantelar o que fora fragilmente construído.

Por que esse senhor, monge de nível superior ao meu, tinha medo de mim? Membros da antiga diretoria, que fora deposta alguns anos antes, me queriam longe. Uma trama política por poder, em um templo com menos de mil afiliados. Lamentável.

Por isso estou em Tóquio, na sede administrativa, sendo interpelada pelo superior administrativo, que se nega a me ouvir e a verificar os documentos todos que eu trouxera em minha defesa, um calhamaço.

Desde 1995, pratiquei no templo Busshinji, no bairro da Liberdade, em São Paulo. Durante seis anos ininterruptos, sem férias, folgas ou descansos, fiz *zazen* todas as manhãs e todas as noites. Dei palestras, cozinhei, varri e passei pano no chão; limpei altares, dispus flores, criei cursos, ordenei um monge e uma monja, além de vários leigos e leigas. Assumi, depois de um ano, como presidente da Federação das Seitas Budistas do Brasil, substituindo interinamente o superintendente geral para a América do Sul e me encarregando de suas funções como responsável pelo templo Busshinji de São Paulo e templos afiliados.

Foi uma época intensa, de muito trabalho e muitas alegrias. O número de adeptos só aumentava. As senhoras e senhores idosos da colônia japonesa solicitavam que eu oficiasse as cerimônias memoriais – e eram muitas, pois eu falava português e japonês.

Queriam que eu ensinasse o budismo a seus netos e netas. Os mais antigos falavam somente japonês, mas durante a Segunda Guerra Mundial a língua havia sido proibida. Assim, a segunda geração entendia, mas não falava. Já a terceira geração entendia muito pouco e falava menos ainda. A quarta nem entendia nem falava. Minha presença, sendo brasileira e falando um pouco de japonês, estimulava as *obaachans* e *ojiisans* (vovós e vovôs japoneses) a solicitar cerimônias memoriais, enterros, alguns casamentos e algumas bênçãos – sempre seguidos de uma palestra. Adultos e jovens vinham com seus avós para me agradecer, pois pela primeira vez haviam entendido as preces e o significado das liturgias.

Foi um tempo bonito.

O templo floresceu. Palestras noturnas, que inicialmente contavam com seis pessoas, acabaram lotando o salão do andar térreo, com mais de oitenta pessoas. Palestras semanais.

Conseguimos fazer o primeiro Simpósio Inter-religioso no templo, bem como o primeiro Encontro Budista, ambos totalmente em português.

Uma pianista realizou um concerto no tablado central do templo, em frente ao altar, e nos sentamos em volta, com velas acesas. Foi lindo.

Recuperamos todas as liturgias diárias, mensais e anuais da nossa ordem, que haviam sido deixadas de lado por algum tempo. O templo fervilhava de pessoas e havia uma energia vital surpreendente. Eu era jovem, tinha menos de cinquenta anos de idade e acreditava no zen, nas práticas, nos ancestrais fundadores, em mim e na vida.

O coral da colônia japonesa se reunia de tempos em tempos para ensaios. As senhoras organizavam bazares.

Havia aulas de *baika*, com professores vindos do Japão, a nosso convite, para orientar as senhoras que tocavam antes das liturgias. Música sacra antiga.

Viajava pelo interior visitando membros da colônia japonesa, oficiando liturgias especiais, fazendo palestras, difundindo os ensinamentos e agradecendo aos pioneiros imigrantes por terem trazido o budismo ao Brasil.

Grupos de artes marciais usavam o salão inferior do templo para práticas de *aikido*, *ninjutsu*, *karate-do* e *kenjutsu*, este do Instituto Niten.

Acordava todos os dias às quatro da manhã – como era hábito no mosteiro em Nagoya. Levantava-me para passear com os quatro cães da raça akita que eu adotara. Como eram dois casais, precisava passear com eles separadamente, para que não brigassem entre si.

Esses passeios eram feitos quatro vezes ao dia, pois eu morava em um apartamento ao lado do templo. Dois ou três anos depois me mudei para uma casa, numa pequena vila atrás do templo, mas o problema persistiu. Deixava dois cachorros num quarto e dois no templo. Acabei me mudando para uma casa um pouco maior, na Aclimação, um bairro próximo. Bem valia a caminhada de ida e volta com os cães e as sacolas para recolher suas fezes. Quando eles eram menores, caminhava com os quatro. Depois, tive de separar os dois casais. Quando eu passava, algumas pessoas brincavam: "Lá vem Papai Noel!" – pois eram quatro cães de porte médio para grande.

Passeava bem cedo para não incomodar ou amedrontar ninguém. Algumas vezes, quando passava outro animal por perto, os cães se deitavam no chão. As pessoas pensavam que eram educados e amigáveis, e eu precisava avisá-las de que era o contrário. Estavam se preparando para dar o bote! Cães akita não latem.

No início, tentei manter os horários monásticos das práticas, sem sucesso. Ninguém conseguia chegar ao templo antes das cinco da manhã. Passei para as seis horas, e mesmo assim não vinham muitos adeptos. Minha experiência em Los Angeles era de casa cheia às cinco da manhã. Tive de me adaptar e passar o *zazen* para as sete. Aí sim havia um pequeno grupo que participava. Em seguida, fazia as liturgias completas matinais.

Depois, o café da manhã, muitas vezes no bar ao lado – pão na chapa e café com leite.

Minha primeira discípula monástica tomava Coca-Cola logo pela manhã. Ela era norte-americana e sempre nos surpreendia. Sabia fazer um estupendo bolo de carne ao forno.

Terminada a refeição matinal, *samu* – trabalho comunitário. Como o templo era grande, levava algumas horas varrendo, passando pano no chão, limpando altares, incensários, velas, flores, ofertas de altar. Além de sair para oficiar funerais, cerimônias memoriais, dar palestras ou participar de reuniões da Federação das Seitas Budistas do Brasil ou dos encontros inter-religiosos da Arquidiocese de São Paulo, por meio da Casa da Reconciliação. Também era chamada para entrevistas e aulas de zen-budismo em alguns colégios e universidades locais. A vida transcorria. A prática era incessante.

Estava magra, saudável. Estudava, praticava e servia a comunidade com alegria e disposição. Dormia cerca de cinco horas por noite, e já me bastava. Jamais fiquei doente naquele período.

Todo fim de ano havia uma grande celebração, e o templo ficava lotado de brasileiros e de descendentes de japoneses. Todos traziam comidas e bebidas e, depois de um período de *zazen*, participavam da celebração e das 108 badaladas da meia-noite. Comíamos juntos um macarrão japonês e fazíamos as preces, invocando bênçãos para o Ano-Novo.

Vivíamos em harmonia e respeito. Mas houve quem se incomodasse.

Quando cheguei do Japão, o templo era dirigido por um grupo de senhores descendentes de japoneses. Eles atuavam como diretores havia mais de vinte anos. Foi um período de grande decadência, visto que o primeiro superintendente geral da Ordem para a América do Sul sofrera um AVC no retorno de uma de suas viagens ao Japão e ficara acamado por mais de oito anos em São Paulo. Seus discípulos – monges e monjas – cuidaram do templo e o substituíram nas funções, mas ficaram muitos anos sem um superior. As verbas arrecadadas no Japão para as reformas e a reconstrução do templo foram todas despendidas em hospitais e tratamentos, até sua morte. Sua esposa dava aulas de *ikebana*, arranjos de flores, e cuidava devotadamente do marido. Não tiveram filhos.

Depois da morte do marido, a esposa ainda ficou alguns meses no Brasil, retornando ao Japão em seguida. Seus discípulos mantiveram o templo funcionando, com grande dedicação. Até que foi possível encontrar um religioso de nível adequado para o cargo de segundo superintendente geral – que fora vice-superintendente no Havaí. Chegou feliz, falando inglês e japonês. Sua esposa veio com ele.

Foi uma época difícil. Assaltantes invadiram a casa do monge, que ficava atrás, na parte mais baixa do terreno. Tomaram sua esposa e a amarraram a uma cadeira, amordaçada. Ninguém no templo percebeu. Quando ele voltou para a casa, no fim da tarde, encontrou-a fraca, aos prantos. Ela retornou ao Japão. O marido ainda permaneceu por algum tempo.

Certa noite, ele caiu em um buraco na calçada – as calçadas traiçoeiras da Liberdade – e quebrou a clavícula. Nunca mais recuperou o movimento completo do braço. Sem a esposa, solitário, voltou ao Japão. Havia ordenado um monge descendente de japoneses que estudava História e o registrou no Japão. Também havia ordenado dois brasileiros, que não registrou oficialmente.

Cheguei a conhecer todos os superintendentes para a América do Sul.

Com o primeiro tomei chá em sua sala. Com o segundo almocei algumas vezes e o auxiliei em liturgias nos fins de semana, quando estava no Brasil. O terceiro, que reconstruiu o templo, acolheu-me como missionária, e trabalhamos juntos durante alguns meses até que ele voltasse ao Japão. Tornei-me uma espécie de herdeira – tanto do Templo Busshinji, por seis anos, como, mais tarde, de um grupo que ele liderou no Rio Grande do Sul. O quarto foi aquele que me levou ao tribunal em Tóquio.

Depois veio o quinto, que conheci em Los Angeles, antes de ser monja. Ele foi uma inspiração para meus votos monásticos. Ficou por muitos anos, depois sofreu um AVC, sem sequelas. Passou a viajar menos, a ficar mais tempo no Japão, renunciando ao cargo em 2020. Agora, novamente o templo Busshinji espera pela chegada do novo superintendente geral para a América do Sul.

Já nomeado, aguarda no Japão permissão de viagem ao Brasil, assim que a pandemia permitir.

Nosso contato tem sido por meio de encontros virtuais.

Morei no Japão durante doze anos. A cada dois anos vinha ao Brasil visitar minha família, e sempre passava pelo templo Busshinji para prestar minhas homenagens ao superintendente geral e aos monges e monjas que o auxiliavam.

Eu ficava poucos dias no Brasil e logo retornava ao mosteiro em Nagoya, onde fazia minha formação.

Dos doze anos em que residi no Japão, oito foram de formação monástica. Nesse período, servi como auxiliar direta dos abades líderes da ordem em cerimônias especiais. Certa ocasião, eu havia acabado de voltar do Brasil e fui nomeada como atendente pessoal do abade superior de nossa Ordem, durante uma liturgia especial de transmissão de preceitos – um compromisso que mais de cem pessoas assumiam, frente ao altar, de viver conforme os ensinamentos de Buda. Eu trouxera do Brasil alguns pequenos presentes. Ao chegar ao templo onde ocorreriam as liturgias, ofereci ao superior geral, chamado de *zenji*, mestre zen, pequenos sabonetes brasileiros e algumas tangerinas japonesas. Eu sabia que ele gostava de tangerinas, já o havia encontrado outra vez, por isso comprara algumas no caminho. Eram pequenas, muito doces.

Quando, mais tarde, entrei em seus aposentos para levar o almoço, vi que ele havia recebido duas caixas das melhores e maiores tangerinas do Japão. Ele certamente não comeria aquelas pequeninas que eu havia levado... Será?

Fiquei embaraçada e me lembrei da história da jovem pobrezinha, na Índia antiga, que, querendo homenagear Buda, cortou seus longos cabelos, trocando-os por uma pequena lamparina a óleo. Os grandes senhores comerciantes locais, chefes de Estado e demais líderes haviam colocado tochas enormes na entrada da cidade para guiar os passos de Buda e seus discípulos. Quando a jovem depositou sua modesta lamparina, todos riram muito, chamando-a de tola por colocar essa luzinha tímida entre seus imensos faróis. Mas, quando Buda se aproximou, uma grande ventania apagou todas as lâmpadas grandes, e só a pequenina ficou acesa. Ela havia feito a oferta com a pureza de seu coração. A lembrança dessa história me fez sentir menos mal.

Ao entregar os sabonetes, no corredor do templo, para um dos atendentes pessoais do *zenji*, comentei que no Brasil estávamos sem um superintendente geral havia anos, desde que aquele que havia caído voltara ao Japão. O *zenji* e seus atendentes me ouviram.

Pouco tempo depois, soube que fora nomeado um novo superintendente geral – um monge seguidor desse mestre zen, muito hábil em *shiatsu*, uma espécie de massagem japonesa forte, e excelente cozinheiro. Soube também que a nomeação se dera devido a um pedido do Brasil por parte do primeiro monge brasileiro a se formar no Japão, que liderava um templo-mosteiro no Espírito Santo.

O novo superintendente viera apadrinhado pelo mestre zen. Ele havia recebido muitas doações e se propunha a reconstruir a Sede da

Ordem Soto Shu para a América Latina, no bairro da Liberdade. Foram anos de demolições e obras.

O novo superintendente geral gostava de cozinhar e de praticar *zazen*. Ele cantava muito bem, tinha uma voz forte e poderosa. Frequentava os karaokês com praticantes zen brasileiros, e foi criando vínculos locais.

Era um monge livre e independente. A diretoria antiga, que o havia chamado e acolhido, pensou que o controlaria. Mas ele não se dobrava. Havia recebido grandes doações para a reconstrução do templo e assim o fez. Derrubou a casa antiga, que contava com uma escada curva de mármore, e fez um prédio grande. Ele mesmo fazia os pagamentos das obras, o que incomodou os diretores locais. Era o início dos conflitos.

Na época da construção, muitos documentos e papéis antigos desapareceram. A história do zen no Brasil se estraçalhava por causa de alguém que se indispusera com o primeiro superintendente. Jogava e queimava tudo – assim me contaram. Lamentável.

Quando cheguei, encontrei ainda algumas pilhas de objetos, copos, talheres, fotos, documentos. Um dos monges conseguiu esconder em seu apartamento alguns livros com os nomes dos primeiros membros da comunidade.

A diretoria da época se indispôs com o novo superintendente e ameaçou expulsá-lo do Brasil para sempre. Essa notícia chegou ao Japão, que pediu a ele que retornasse e renunciasse . Ele assim o fez, a contragosto. À época, eu já estava no Brasil, e participei da celebração de abertura das novas edificações, quando testemunhei situações tristes e embaraçosas envolvendo a maneira como o superintendente foi exposto antes de se despedir. Nesse mesmo dia, os superiores que vieram do Japão para as festas da inauguração pediram que eu cuidasse do templo até que um novo superintendente fosse nomeado. Na época, meu marido, um monge japonês, prontificou-se a me auxiliar. Assim começava nossa jornada como responsáveis pelo templo Busshinji, de São Paulo.

Não sabíamos o que nos esperava. Havíamos acabado de nos formar professores da Ordem Soto Shu. Éramos muito dedicados à ordem e ficamos felizes por poder aplicar em um templo novo, recém-construído, que já contava com uma comunidade local de praticantes zen e de japoneses e seus descendentes que solicitavam ritos fúnebres e cerimônias memoriais. Podíamos aplicar tudo o que havíamos aprendido nos mosteiros pelos quais havíamos passado e estudado.

Trabalhávamos muito, e as edificações novas, que ficavam num local privilegiado no bairro da Liberdade, atraíam muitos frequentadores.

No mesmo ano, a nossa Ordem Soto Shu seria a responsável pela presidência da Federação das Seitas Budistas do Brasil. Todos os papéis de divulgação já estavam prontos para anunciar as várias festividades. O nome nos panfletos era o do superintendente geral, que retornara ao Japão.

Quem organizava as divulgações era um outro grupo, do Budismo da Terra Pura. Formávamos todos a Federação das Seitas Budistas do Brasil, e quem estivera na presidência anterior preparava as primeiras divulgações para o grupo seguinte.

Com a saída do monge, trocaram o nome dele pelo meu – mas, na pressa, não alteraram o cargo. Eu não era a superintendente, que chamavam, em português, de *bispo*. Era apenas a monja responsável pelo templo, missionária oficial da Ordem para a América do Sul e representante local. Assim que nos demos conta do erro, solicitamos que os papéis fossem recolhidos e alterados. Eu não era “Bispo Coen”.

Alguém guardou, com muito carinho, um desses papéis com o erro. Foi aí que começou uma trama de poder que eu jamais poderia imaginar.

A novidade era grande – membros da diretoria me levaram aos jornais da colônia japonesa para me apresentar como substituta do monge que tinha ido embora. Houve muitas entrevistas por conta da surpresa, afinal, eu era uma mulher de origem não japonesa liderando um templo japonês.

Algumas semanas depois fui entrevistada por um jornal brasileiro. O jornalista, sem se dar ao trabalho de me perguntar qual seria meu cargo e posição, concluiu, por si mesmo, que eu era bispo.

Na época, não dei a menor atenção, o que foi um erro, pois não solicitei que fizessem uma errata. Parecia, para mim, algo sem importância. Eu andava muito ocupada, nem sequer lia as matérias. Meu marido, que me auxiliava tanto, era japonês e não lia português. Passou, sem que nos déssemos conta.

Alguém guardou, com muito carinho, essa matéria.

Bem, esses dois textos impressos – um feito por engano, logo recolhido e alterado, e o da entrevista, que não foi retificada – foram enviados ao Japão. E então decidiram que eu deveria sair.

Por isso fui chamada a Tóquio. Havia levado provas e mais provas de que nunca me passara por bispo – que foram falhas devidamente corrigidas. Tinha uma carta de um dos monges budistas pioneiros que confirmava minha versão, bem como uma carta do jornalista reconhecendo que o erro fora dele, que eu nunca havia me identificado como bispo. Havia vários documentos demonstrando o contrário, textos de revistas, jornais. Muito material.

Ninguém se interessou pelos meus papéis naquela sala em Tóquio. Jamais tive a chance de apresentá-los. Eu já os havia enviado pelo correio, pelo malote – traduzidos para japonês e inglês, inclusive. Parecia que não haviam lido ou não se importavam. A decisão já havia sido tomada.

Embora minha superiora houvesse me recomendado o silêncio, não resisti e a desobedeci.

Defendi minha posição e afirmei que nunca me considerara bispo nem tampouco me fizera passar por um cargo para o qual não fora designada. Não consegui ficar calada. Há um ditado antigo que diz: "Quem cala consente". Eu não consentia. Aquilo era mentira, falsidade. Como era possível que aquele senhor de cabelos brancos, que sabia a verdade, mentisse daquele jeito na minha frente? Que vergonha!

Não queriam me ouvir. O senhor sentado ao lado do superintendente me caluniava. Tanto ele como eu sabíamos que era mentira. Um jogo que até então eu desconhecia. Lamentável, mas importante para o meu crescimento espiritual. Uma prova de desapego.

A hora do almoço havia chegado e, como eu ainda não havia capitulado, o superior administrativo falou:

– Vamos almoçar. Continuaremos durante a tarde.

Não. Aquilo seria demais. Eu havia entendido, depois de mais de três horas de um circo sem tendas.

– Compreendi. Os senhores querem que eu saia do templo, que renuncie ao meu cargo. Assim o farei, e recomeçarei do zero.

Nesse momento, o superior administrativo disse:

– Muito bem. Aceitamos seu pedido para sair do templo Busshinji de São Paulo. Entretanto, você continua sendo missionária oficial da nossa Ordem Soto Shu para a América do Sul, Brasil.

Ora, se eu fosse culpada de algo tão grave, não continuaria como missionária oficial.

De certa maneira, era o reconhecimento de minha inocência e, ao mesmo tempo, um modo de atender à solicitação do novo bispo e dos antigos membros da diretoria do templo, a quem minha presença incomodava. Afinal, eu havia testemunhado e sido contrária a alguns erros e abusos que notei em seus mandatos anteriores.

O descontentamento não era exclusividade desses senhores. Havia também brasileiros que se incomodavam com o sucesso do templo e com o despontar de minha popularidade.

Meus dois professores japoneses haviam morrido no mesmo ano em que voltei ao Brasil. Maezumi Roshi, mestre de ordenação monástica, falecera em maio; Yogo Roshi, em dezembro. Eu era órfã de pai. Agora, sim, honrava meu nome budista, cujo primeiro *kanji* é *ko* ou *co*, que significa só, única, órfã. A pessoa que podia me defender naquele momento era Aoyama Roshi, que fora minha mestra de treinamento por mais de oito anos, que ali me acompanhava e mais tarde me diria:

> “Você cresceu rápido demais. Não criou raízes profundas. Por isso foi arrancada. Levam-se uns trinta anos para se tornar uma mestra. Em dez, formamos um monge, monja; em vinte, um professor, professora. Mas, para ser mestra, pelo menos trinta anos de prática incessante. Não se importe, que tenho propostas novas para você. Está tudo bem assim como é.”

Antes de deixarmos a sala de reunião onde a decisão foi tomada, Aoyama Roshi não se conteve e disse a todos, em voz baixa, mas firme:

> “Que lamentável assistir a uma reunião como esta… Vocês deveriam premiá-la por ter cuidado tão bem do templo durante todos esses anos. Em vez disso, essa vergonha que testemunhei. O senhor, que foi nomeado superintendente, certamente não terá sucesso. Não porque eu vá fazer algo contra o senhor, nem mesmo estou lhe rogando uma praga. Alguém que não tem capacidade de acolher a uma monja como Coen san, que poderia ser sua auxiliar e facilitar o crescimento do zen no Brasil, certamente não terá sucesso. Sinto-me envergonhada de ter participado de tal reunião.”

Todos se calaram e baixaram a cabeça.

Fomos todos juntos almoçar no salão de refeições dos oficiais mais elevados da sede administrativa.

Eu mal conseguia engolir a comida, nem me lembro do que foi servido. Todos os outros conversavam como se nada houvesse ocorrido.

Experiência importante de vivenciar os ensinamentos na vida prática. Sem rancor e sem tristezas.

Mais tarde, fui a um hotel. Foi Aoyama Roshi que me disse para ir, pois lá haveria um encontro com alguém que gostaria de me ajudar.

Naquela tarde caiu muita neve, o que é comum em janeiro, no Japão. O trem, que vinha de Nagano – chamada de Alpes Japoneses –, atrasou muito. Nesse intervalo encontrei-me com dois monges japoneses. Um deles havia sido missionário no Brasil, onde criara muitos templos, centros de prática. Ele tinha muitas discípulas e discípulos, era muito amado e respeitado. Queria fazer uma proposta a Aoyama Roshi. Eu não sabia o que era, e ele nada falou para mim durante as horas que aguardamos por ela no *lobby* do hotel e depois no restaurante. Conversamos sobre outros assuntos.

Era quase meia-noite quando fui me deitar. Pedi aos funcionários do hotel que, por favor, me chamassem quando minha mestra chegasse. Pouco tempo depois, enquanto eu ainda me preparava para dormir, o telefone tocou. Desci.

Aoyama Roshi e os dois monges estavam sentados em sofás e poltronas de couro, em volta de uma mesa baixa, em que estava um mapa do Brasil aberto. Depois dos cumprimentos formais, sentei-me e notei que eles pediam doações à Aoyama Roshi para construir um templo/mosteiro em Pirenópolis, onde eu seria colocada como responsável.

Senti um estranhamento muito grande.

Por que não falaram nada comigo antes? Ficamos conversando durante horas no jantar...

Eu nem sabia onde era Pirenópolis. O monge apontou para o centro da América do Sul, nos arredores de Brasília. Um terreno maravilhoso, com cachoeiras, mata natural.

Fiz minha primeira interpelação:

– Fica muito longe de São Paulo. Em uma área rural...

O monge insistia que era um lugar próximo, a apenas duas horas de viagem.

– Duas horas de avião e mais duas de carro! – falei, olhando para Aoyama Roshi.

Perguntei se teria energia elétrica, água encanada, esgoto. Lembrei-me dos locais que o monge havia aberto no Brasil, que não contavam com nada daquilo, no início da implantação de um centro de práticas zen.

– Sou filha das cidades, preciso de eletricidade para escrever, para me comunicar. Como iria com meus quatro cães para o meio do mato?

Aoyama Roshi se irritou:

– Tem muita água. Veja, tem cachoeiras.

Silenciei.

Senti que ela queria logo resolver o assunto. O assunto do meu futuro.

Aoyama Roshi fez uma doação aos monges e intercedeu para que o templo Saijoji, onde meu mestre principal fora abade, recebesse os monges e os ajudassem. Não sei a quem mais ela os apresentou com o intuito de me recolocar em um templo.

No dia seguinte, os dois monges foram a Tóquio, ao templo Kirigaya ji, onde eu sempre me hospedava e onde o abade me auxiliava como aprendiz nas cerimonias fúnebres e nos memoriais. O abade era irmão de meu mestre de ordenação e se tornou responsável por mim durante todo o tempo em que residi no Japão. Depois da morte de meu mestre, era com ele que eu me consultava sobre questões monásticas.

Quando cheguei ao templo de Tóquio, contei a ele o que havia acontecido e que os dois monges viriam lhe pedir auxílio financeiro para construir um templo para mim.

Eu nunca fora aluna ou discípula do monge que havia morado no Brasil. Encontrara-o duas ou três vezes no país. Participamos de um retiro zen organizado pela Associação Palas Athena de Estudos Filosóficos, ouvi uma palestra dele na PUC-SP e estivemos juntos outras poucas vezes. Era estranho que ele fosse construir um templo para mim. E eu não sou uma pessoa rural. Sempre morei em cidades, não sei lidar com cobras, aranhas, lagartos e sapos. Não me interessava ir para o meio da América do Sul, para uma cidade da qual eu nunca tinha ouvido falar. Pirenópolis. Quando voltei ao Brasil, me contaram que se tratava de uma área considerada de alta espiritualidade...

Eu sabia de algumas histórias sobre o monge. Sobre os templos que ele abria e colocava alguém para morar sozinho, sem vizinhos, sem carro, sem meios de comunicação. Cheguei a ir a um desses locais, onde tendas serviam de cozinha e banheiros eram fossas recém-abertas. Dizem que, depois de um retiro de inauguração, com revezamento de muitas pessoas, todos se foram e restou apenas um dos monges, que ali ficou residindo sozinho. Ele teria ficado muito doente e quase morreu. Histórias que me contaram e me assustaram.

O monge de Tóquio os recebeu muito bem. Serviu um sushi maravilhoso e, ao final, recusou-se a fazer qualquer doação:

– A Monja Coen deve agora seguir sozinha. Durante anos esteve cuidando de um templo, e vejam o resultado. Neste momento, ela deve criar sua própria comunidade.

Ambos saíram furiosos, sequer olharam para mim, que fui levá-los até o táxi na porta do templo.

Os discípulos, ao saberem do ocorrido, me desconsideraram. Eu havia impedido seu mestre de receber doações no Japão para a construção de seu projeto, e ele teve até mesmo de devolver parte das terras que comprara. O templo em Pirenópolis, Goiás, existe. Foi construído e se mantém com retiros e treinamentos zen – pelo que soube por aqueles que foram visitar suas famosas cachoeiras.

Fiquei em São Paulo.

Escrevi minha carta de demissão, renunciando ao cargo de presidente do Conselho Diretivo do Templo Busshinji.

Aqui começa minha jornada independente na criação de uma *Sanga* – Comunidade Zen Budista Zendo Brasil.

Voltei a morar na casa de minha mãe. Santas as mães que nos acolhem quando retornamos de nossas desventuras. Pude assim cumprir minha promessa de infância de que cuidaria de minha mãe em sua velhice.

Lembrei-me do antigo *koan*:

> “Ande direito por uma estrada cheia de curvas.”

Temos de nos tornar a estrada, o caminho. Curvarmo-nos nas curvas, sem querer que a estrada, o caminho, seja como sonhamos ou desejamos individualmente. É como é. Fluir com o fluir da caminhada é a rota do zen-budismo. Andar direito, corretamente. Sem apegos e sem aversões.

Voltei, com meus quatro cães akita, para a casa de minha mãe. Lá estavam minha filha e uma cadela grande, pintada, uma dogue alemã. Brigas de cães, separações de áreas, cercas, portas trancadas. Fins de semana livres, sem tantas liturgias e reverências. Comer à mesa com meu pai. Passear com minha filha. Auxiliar nos cuidados com minha mãe.

Praticar *zazen*, continuar a guiar um grupo de praticantes com leituras do *Darma* de Buda, criar atividades.

> Se as pessoas não vêm até o local de prática,
> o templo irá até as pessoas.

Criei uma campanha de meditação enquanto caminhava pelos parques públicos de São Paulo.

Havia um grupo de discípulos e discípulas que pediu para que eu continuasse a orientá-los no apartamento de um deles, a poucas quadras do templo Busshinji, no bairro da Liberdade. Assim, continuamos nossos estudos e práticas. Estávamos juntos, coesos, e outras pessoas foram chegando.

Fui entrevistada por Chico Pinheiro. Apareci nos jornais da colônia japonesa e nos jornais e revistas paulistanos.

A nossa sala de práticas era tão pequena que precisávamos utilizar o estacionamento aberto do edifício onde ficava o apartamento para nossas caminhadas meditativas.

O movimento zen continuou a crescer, mesmo fora do templo da Liberdade.

Um grupo de praticantes sugeriu alugar um espaço maior. Eles se responsabilizariam por cobrir as despesas de aluguel até que o templo se tornasse autossustentável. Um voto de confiança no *Darma* de Buda, o início de uma *Sanga*. Nos mudamos para a rua Arruda Alvim, em um imóvel próximo ao Hospital das Clínicas.

Nasceu, então, em 2002, o primeiro número de nosso jornal trimestral, *Zendo Brasil*, que ofereço neste livro a você. São ensinamentos da tradição Soto Shu, zen-budismo com sede no Japão. Aqui estão compilados os textos que escrevi para esses jornais até o ano de 2020. Ao longo deles, revisitaremos episódios de minha vida, da vida do Brasil e da comunidade durante os últimos dezoito anos.

O título *Zendo Brasil* foi sugerido pelo primeiro monge zen brasileiro, o Prof. Dr. Ricardo Mario Gonçalves. Quando realizamos o primeiro encontro da Federação das Seitas Budistas do Brasil, todo em português (que desde 1950 costumava ser em japonês), ele me disse que eu deveria fundar o *Zendo Brasil*. Um zen nacional, de brasileiros para brasileiros, mantendo a essência dos ensinamentos. Assim surgiu o nome do jornal e do nosso grupo.

Pelos textos aqui coletados podemos acompanhar o desenvolvimento dessa comunidade e o crescimento do zen fora da colônia japonesa.

Muitos episódios desse período, que precede a fundação da Comunidade Zen Budista, preferi não relatar. Foi uma época difícil, de traições, intrigas, mentiras e abusos morais. Eu estava na menopausa e, quando não estava no templo, dormia e lia o livro *Musashi*, de Eiji Yoshikawa.

Meus cães me acompanhavam. Meu marido se tornou ex-marido e se apaixonou por uma jovem brasileira. Éramos amigos e continuamos a ser. Ele ficou no Brasil por mais alguns meses e depois retornou ao Japão, onde casou-se. Teve uma filha, construiu um templo em Yokohama e morreu.

Ele foi um grande amigo, me auxiliou muito. Não somente por ter me ajudado a me estabelecer no templo e a assumir a presidência das Seitas Budistas do Brasil, mas também por ter me defendido e me apoiado na ocasião de minha eleição para a presidência do Conselho Diretivo do Templo Busshinji. Que precisei renunciar.

Nos conhecemos num mosteiro de treinamento para futuros abades e abadessas de mosteiros zen nos arredores de Kyoto, na cidade de Uji. Koshoji foi o primeiro mosteiro que o fundador da nossa ordem, Soto Shu, mestre Eihei Dogen, fundou no Japão ao regressar da China, no século 13.

Na sala do fundador havia uma estátua do mestre Dogen Zenji (1200–1253). Como eu me alegrava em poder limpar aquela sala antiga e aquela imagem! Gostava de subir no altar e colocar minha face ao lado da face de mestre Dogen – quem sabe eu poderia ter a mesma visão clara e sábia que ele tinha? Adorava ler sua obra em inglês. Foi um tempo intenso de leituras, estudos, práticas, questionamentos e aprofundamento. Grandes professores, mestres e abades de diferentes mosteiros vinham ficar conosco e nos dar aulas, entrevistas individuais, treinamento. Foi um período de crescimento e aprendizado incessantes.

Durante esses meus últimos anos de treinamento no Japão eu havia me aprofundado nas questões relacionadas a preconceitos e discriminações existentes ali e no resto do mundo. Estava afiada para isso. Tínhamos muitas aulas sobre o assunto, procurando nos textos sagrados do budismo expressões das discriminações e preconceitos da Índia antiga, com seu sistema de castas, que vieram enroladas nos pergaminhos.

Senti na pele essa discriminação várias vezes em minha vida. A primeira vez, quando meus pais se separaram. Na época, não havia divórcio, era *desquite*. Minha mãe perdeu todo seu círculo social – e ela gostava de festas, reuniões, saraus literários, artísticos. Minha mãe, pedagoga, poetisa, declamadora, filósofa, era "mulher sem marido", "mulher largada", "desquitada". Mesmo que tenha sido meu pai quem se apaixonou por outra pessoa, desfazendo o casamento, foi ela que perdeu o *status* social e sua roda de relacionamentos – até mesmo suas primas se afastaram. Era doloroso, e ela nos dizia: "Neste mundo, aos homens tudo é permitido. Apenas aos homens".

Estudamos em escolas públicas e em escolas de freiras. Em nenhuma delas podíamos contar que nossos pais eram desquitados. Vivi sem poder levar minhas amigas para minha casa.

Mais tarde, casei-me com um norte-americano e fui morar nos Estados Unidos. Só conseguimos alugar um apartamento em uma área mista de Los Angeles, onde moravam pessoas de etnias diversas. Afinal, eu era latino-americana. Só consegui emprego no Banco do Brasil. A agência de empregos havia sugerido, gentilmente, que eu me candidatasse em empresas brasileiras, já que as empresas americanas dificilmente me contratariam.

Algum tempo depois, no mosteiro de Nagoya, monjas japonesas diziam que as estrangeiras (no caso eu) não tinham *kokoro* (coração-mente, espírito) capaz de entender a cultura japonesa e o budismo.

Quando recebi o convite para assumir o templo Busshinji interinamente, ouvi de esposas de monges que ali não era um templo para mulheres-líderes. E, antes do episódio na sede de Tóquio – aquela reunião que culminou com minha renúncia –, um senhor da antiga reitoria disse que estavam pedindo ao Japão que enviasse ao Brasil um *homem*, *japonês* e *mais velho*, para assumir o templo. Eram três discriminações em uma única frase.

Eu fora eleita presidente do Conselho Diretivo, algo que para os antigos membros da diretoria, que haviam se mantido lá por mais de vinte anos, era insuportável. Eles não permitiam a participação feminina nas eleições da diretoria. O voto também era vetado aos brasileiros, mesmo que pagassem mensalidades. Eu segui o estatuto e permiti que mulheres e brasileiros votassem. A antiga diretoria caiu e jurou vingança.

Houve senhores de cabelos brancos que mentiram e me caluniaram no Japão. Eu mal podia acreditar no que estava acontecendo.

É difícil escrever sobre isso. Foram momentos dolorosos. Mas eles passaram.

De repente, me vi sem saber o que fazer nos fins de semana. Costumava oficiar de nove a dez liturgias memoriais todos os dias. Não conhecia a cidade de São Paulo nos fins de semana. Era estranho. Cidade sem trânsito. O que fazer?

Pouco a pouco, fundamos a Comunidade Zen Budista atual. Escrevemos nosso estatuto, e o fizemos romanticamente, utilizando termos budistas em vez da linguagem tradicional dos textos legais.

Quando fui mostrar o estatuto que havia escrito – em parceria com mais três praticantes da comunidade: uma arquiteta, um policial que havia estudado Direito e um arquiteto que se tornara professor universitário de desenho – a um contador, para que nos orientasse, ele sorriu. Pediu permissão, com delicadeza, e reescreveu o documento de acordo com a linguagem jurídica, o que nos deixou um pouco tristes. Era mais bonito do outro jeito, com nossa ternura e nosso amor pela tradição, pelos ensinamentos e pelos nossos associados. Agora, no entanto, era um texto legal em termos jurídicos oficiais. O contador era de uma família japonesa cujos ancestrais oficiei muitas missas. Havia um vínculo religioso entre nós, que se mantém até hoje.

Associação religiosa sem fins lucrativos, a Comunidade Zen Budista Zendo Brasil estava fundada. Isso se deu entre 2001 e 2002.

Quando minha mãe morreu, alugamos a casa onde ela morava e a transformamos no templo atual, pois a sala que ocupávamos já não nos acomodava bem. Em 2007, realizei a Cerimônia de Ascensão da Montanha, que reconhecia oficialmente aquele local como um templo – e eu como sua responsável.

Os documentos de oficialização só chegaram em 2019, doze anos depois.

Os ciclos do zodíaco chinês ocorrem de doze em doze anos. Seria por isso? Na verdade, como a casa era alugada, houve questões burocráticas acerca da estabilidade de um templo em um local que não fosse propriedade da comunidade. Mas, depois de doze anos no mesmo local, acharam por bem reconhecê-lo. Permitiram-me usar o hábito vermelho, graduação de abades e abadessas, líderes oficiais de templos reconhecidos.

E aqui estou, aos 74 anos de idade, iniciando o segundo ano de um templo fundado em 2002, reconhecido parcialmente em 2007 e oficialmente reconhecido em 2019.

E devo dizer que tem sido uma bela, alegre e tenebrosa travessia.

Reconheço que tudo que chega até mim tem a ver com minhas escolhas e com a minha capacidade de resolver questões, inclusive as antagônicas.

Lembro-me de um dos meus mestres no Japão, Mano Kampo Roshi, que sempre dizia:

> “Colocar as mãos palma com palma significa estar absolutamente presente e inteira onde se está. Nenhuma ação ou atitude prejudicial pode ser feita.”

Por isso, em todas as situações do passado, do presente e do futuro, espero manter minhas mãos palma com palma. Capaz de entender, compreender e transformar. Sem medo e sem expectativas, sem nada a ganhar e nada a perder. Apenas praticando o Caminho de Buda, nesse lastro deixado invisível pelas ancestrais do *Darma*.

Que todos os seres se beneficiem.

Nos primeiros anos, nosso jornal contava com sete páginas. Atualmente, tem doze. É colorido e, daqui por diante, será disponibilizado apenas em sua versão digital em nossos sites. Além do jornal, cujas páginas iniciais estão compiladas neste livro, dispomos de um canal no YouTube e páginas no Instagram e no Facebook, somando mais de 3,5 milhões de seguidores. Também participo, há mais de oito anos, de um programa na Rádio Vibe Mundial chamado *Momento Zen*, que vai ao ar todas as segundas-feiras das 19h30 às 19h55, com audiência em todo o mundo.

Venho escrevendo artigos e livros, todos eles encomendados por várias editoras. O nome Monja Coen foi inspirado em Frei Betto, sugestão de um praticante na época em que fui publicar meu primeiro trabalho. Ele me disse: "Se existe um *Frei Betto*, pode existir uma *Monja Coen*".

Essa comparação até hoje muito me honra.

Escrevo também para diversos jornais e revistas, participando de coletâneas. Concedo tantas entrevistas que já não saberia mensurar.

Formei monges e monjas professores da nossa linhagem, bem como leigos e leigas professores do zen-budismo. A vida é bela.

Escrevo estas linhas durante a pandemia da covid-19, que começou a assolar o mundo no início do ano de 2020. A pandemia nos tornou hábeis em *lives* e no uso de diversas plataformas digitais. Tempo de novos aprendizados. A vida é sempre um aprendizado ininterrupto.

Em 2019, lançamos dois EADs: *Prática zazen* e *21 dias para ressignificar sua vida.*

Há também a Semana Zazen, que oferecemos gratuitamente.

Muitas palestras e ensinamentos estão disponíveis gratuitamente no Canal Monja Coen, Canal Mova e no YouTube. Não trabalho para que as pessoas se tornem budistas, mas para que se tornem seres despertos, capazes de discernir corretamente, de pensar, de não manipular nem serem manipulados por ninguém. Liberdade que surge da tranquilidade de haver despertado para a coexistência entre tudo que é, foi e será.

Não sei o que nos espera após a pandemia. Só sei que seguiremos transmitindo os ensinamentos sagrados de Buda – o ser que despertou. Acredito que, quando a maioria dos habitantes do planeta puder despertar, teremos uma sociedade mais amorosa, terna, assertiva, inclusiva.

Uma sociedade que possa pensar, refletir, meditar e se aprofundar em suas tradições espirituais, na qual cada ser possa despertar e apreciar a vida em harmonia com todos os demais seres.

Pode ser que leve ainda muitos anos.

É provável que eu não veja essa realidade, mas nem por isso vou deixar de plantar as pequenas sementes budas e espalhá-las por toda a terra.

Que todos se beneficiem e possam despertar.

Assim, uno minha mão direita à minha mão esquerda, palma com palma, na certeza de que a presença pura e o encontro com a verdade nos tornam seres plenos de nós mesmos, capazes de transformar uma cultura de violência em uma cultura de paz.

Espero que você, leitor ou leitora, possa, assim como eu, colocar as mãos palma com palma e oferecer o maior presente de todos a todos: a presença pura.

Mãos em prece.

– Monja Coen

Mãos em prece

Unir palma com palma.
Dedos unidos.
Nada a esconder.
Lado direito e lado esquerdo juntos.
Presença pura.
O maior presente é a presença.
Sem dualidades.
Duas mãos formam um gesto.
Gesto de entrega, de respeito, de devoção,
cumprimento, reconhecimento.

Um de meus professores no Mosteiro Feminino de Nagoya, o reverendo monge Mano Kampo Roshi, dizia:

> “Quando colocamos as mãos palma com palma não estamos fazendo nada errado, nada escondido. Quem consegue fazer esse gesto manifesta o estado de um ser iluminado.”

Você consegue?
Consegue colocar as mãos em prece?
O gesto é a ação.
A ação é a realização.

No início apenas um gesto.
Depois uma postura: corpo-mente unidos.
Quando duas mãos se tornam uma atitude,
podemos transformar o mundo.
Teclando, servindo, recebendo, dando, compartilhando,
cumprimentando, acolhendo.
Olho no olho.
Sem esconder a face, sem esconder nada.
Cumprimento adequado para a não contaminação.
Cumprimento benéfico para o encontro verdadeiro
de quem nada tem a temer.
Vamos, venha comigo.
Vamos nos reconhecer pessoas humanas.
Sendo humanas somos sagradas.
O que separa você da pureza?

Vamos, junte as palmas de suas mãos.
Oremos por todos os que já morreram – que não tenha sido em vão.
Roguemos pela descoberta de remédios que curem, sem efeitos colaterais, as várias doenças relacionadas ao coronavírus e todas as outras doenças. Com as mãos unidas agradeçamos às heroínas e aos heróis que se expõem para que possamos ficar em casa: são médicas e médicos, enfermeiras e enfermeiros, auxiliares, grupos administrativos de hospitais e centros de atendimento, grupos de limpeza e de cozinha, motoristas de ambulâncias e carros fúnebres, policiais, bombeiros, garis, lixeiras

e lixeiros, pessoas que trabalham com alimentos e remédios – desde quem planta, colhe, revende e transporta, a fábricas de medicamentos e de alimentos.
Muita gente trabalhando para que uma grande parte possa ficar em casa e evitar a contaminação que causaria o colapso da rede de saúde do país.

Vamos colocar as mãos unidas, dedos retos para o céu.
De longe nos cumprimentaremos, de máscara nos reconheceremos pelos gestos, atitudes, tom de voz, movimento muscular, olhos que expressam o que muitas vezes não sabemos expressar.
Que sejam encontros de ternura e de acolhida.
Solidariedade e cooperação.
Percebamos que não vivemos isolados, mas o isolamento é pleno cuidado uns com os outros.

Tenha paciência e resiliência.
Sem beijos, sem abraços, sem cheiros, sem afagos.

Por amor e com amor, por respeito à vida e à saúde, lembre-se de como deve mover suas mãos, seu coração, seus olhos, sua mente.

Sem julgamentos e aversões. Sem apegos e apertões.
Momento de reconhecer o sagrado em cada ser.
Respire profundamente e caminhe com serenidade.
Está tudo errado e está tudo certo, tudo bem.
Podemos ter tranquilidade em meio à pandemia.
Sorria.
Somos a vida da Terra – girando sem parar e sem voltar atrás.
Adiante! O futuro será o que construirmos agora – com atitudes e pensamentos, palavras e comportamentos.

Lembre-se das máscaras, das luvas, das proteções oculares.

Lembre-se de não colocar as mãos nos olhos, nas narinas, na boca, na face.

Mantenha distância – isso é proximidade e intimidade.
Cuide-se cuidando de todos nós.
Somos uma, sendo duas.
Nem duas, nem uma.
Como você fica? Como você faz?
Mãos em prece.

– Monja Coen

Quando colocar as mãos em prece

Antes de dormir

Agradeça ao dia e à noite.
Agradeça cada encontro e cada desencontro.
Lembre-se de que quando uma porta se fecha, outra se abre.
Prepare-se para a tranquilidade do sono reparador.

Seu quarto deve estar limpo e arrumado; sua cama, macia; seus travesseiros devem ser de tamanho e formato saudáveis.

Tome banho ou lave as mãos e o rosto antes de se deitar na cama.
Nunca coma na cama nem trabalhe na cama.
Faça desse um lugar sagrado.
Se mora em lugar pequeno, imagine uma cortina separando a cama do resto do aposento, mesmo que não coloque a cortina. Cortinas invisíveis são poderosas.

Roupas de cama e roupas de dormir devem ser macias e agradáveis ao toque.
Nem quentes demais, nem frescas demais.
A temperatura do seu corpo deve ser mantida estável.
Uma hora antes de se deitar, vá desligando celular, computador, televisão.
Escolha um bom livro e, sem pressa de chegar ao fim, leia alguns parágrafos.
Reflita.
O quarto deve estar bem escuro e silencioso.
Apague a luz, acomode-se e durma bem.

Ao acordar

Junte as palmas das mãos e agradeça pelo despertar.
Alongue o corpo ainda na cama.
Contraia seu corpo, parte por parte. Primeiro dos pés à cabeça. Depois da cabeça aos pés. Relaxe. Espreguice-se.
Nada de levantar-se correndo.
Esteja presente no que fizer.
Sonhos? Lembrou-se? Não se lembrou? Tudo bem.
Hora de lavar o rosto, escovar os dentes, usar o banheiro. Tudo com atenção e gratidão. Principalmente se você ainda consegue fazê-lo sozinha.
Se precisa de apoio, ajuda, mãos em prece para quem estiver por perto.
Um bom café da manhã – sem muito nem pouco. Do que você gosta? Do que você precisa para o que fará nesta manhã?
É bom acordar antes das 08h00.

Lembre-se de abrir bem as janelas, venezianas e respirar o ar da manhã, sentir a luz matinal. Maravilhe-se com a vida.
Respire conscientemente e, se puder, medite por alguns minutos.

Escove os dentes, um por um.
E siga suas atividades matinais.

Ao encontrar alguém

Lembre-se das máscaras protetoras – luvas, talvez?
Mantenha o distanciamento social – dois metros de qualquer outra pessoa são o suficiente.
Lá vem vindo sua amiga?
Mãos palma com palma. Olho no olho.
Os olhos nunca mentem. Olhem-se a distância, mãos em prece. Conversem em voz baixa – para não molhar a máscara.
Ao terminar o encontro, mãos em prece e uma pequena reverência – olho no olho.

Ao almoçar

Antes de preparar uma refeição, escolha bem os ingredientes. Tenha cuidado.
Verifique a data de validade, sinta nas mãos a frescura dos vegetais e frutas. Lave tudo bem lavado.
Cozinhe com atenção, fogo baixo, ouvindo as panelas, sentindo os aromas. Uma boa salada fresca fará bem. Molho suave. Importante sentir o sabor de cada alimento logo, poucos condimentos fortes.
Arrume a mesa com uma toalha limpa e bonita, prato, talheres em ordem, copo, água pura.
Sente-se e observe a mesa e os alimentos.
Mãos em prece: agradeça a cada forma de vida que se tornará sua própria vida.
Olhe em profundidade.

Procure não deixar restos.

Prato limpo, mais fácil de lavar.

Depois de comer, mãos em prece.

Gratidão à vida que tanto nos dá.

Levante-se devagar e lave a louça; se ainda houver panelas sujas, lave-as.

Sinta a água, a temperatura, o odor do detergente, a maciez ou dureza da esponja.

Sem pressa, mas também não em câmera lenta.

Ao terminar, deixe escorrendo por algum tempo.

Deite-se por alguns minutos.

Hora de fazer a digestão com tranquilidade.

Não é para dormir durante toda a tarde.

Talvez meia hora?

Banheiro

Antes e depois de entrar no banheiro, coloque as mãos em prece. Agradeça por seu estado de saúde, por seu sistema digestivo estar funcionando bem e por haver um local adequado para você utilizar.

Lembre-se sempre de lavar as mãos antes e depois de usar o banheiro.

Recomendo que sempre leve papel higiênico com você. Poderá faltar em algum banheiro público.

Transportes

Se for utilizar o transporte público, vá bem protegida e não se sente perto de ninguém.

Melhor descer do ônibus do que ficar com alguém respirando em cima de você.

Não passe as mãos no rosto.
Use álcool gel e mantenha a distância.

Ao chegar em sua casa

Antes de entrar, mãos em prece.
Abra a porta, tire sapatos, roupas e vá tomar um banho quente com muito sabão.
Enxágue-se bem. Enxugue-se bem.

Lembre-se de colocar as mãos juntas antes e depois do banho.
Vista-se de maneira adequada e agradável.
Sente-se, descanse.
Veja o noticiário.
Se houver tristezas, mãos em prece.
Se houver alegrias, mãos em prece.

E assim passamos o dia, colocando as mãos palma com palma. Para agradecer, para cumprimentar, na alegria, na tristeza, na gratidão, no amor e até na briga.

Você pode bater palmas com as mãos em prece – sinal de grande alegria.
Ou baixar a cabeça, fechar os olhos e bater as palmas das mãos em tristeza e respeito.

Gesto simples e comum, que será, por algum tempo, a melhor maneira de nos cumprimentarmos e de nos manifestarmos.

Um gesto que pode evitar acidentes, mortes, brigas, desencontros.
Um gesto de amor, de presença, de entrega, confiança, alegria e encontro.

Sempre é um bom momento e sempre há uma boa razão para colocar as mãos palma com palma.
Experimente.

Lembre-se de apreciar e agradecer à vida.
Mãos em prece.

– *Monja Coen*

Não coloque as mãos em prece

Se estiver dirigindo carro, moto, bicicleta, avião, barco, caminhão, planador.
Se estiver usando o celular.
Se estiver de mãos dadas a uma criança.
Se houver qualquer perigo de queda.

Seja prudente e compreenda que não é um gesto qualquer. É uma postura de vida para que sua vida e a de todos seja longa, saudável e muito agradável.

– *Monja Coen*

Ano 1 • nº 1

Janeiro/fevereiro/março de 2002

Da Sanga para a sanca

É a *Sanga* – a comunidade de praticantes – que está abrindo o Tenzui Zen Dojo. Nós nos abrigamos nas Três Joias, nos três tesouros, Buda, *Darma* e *Sanga*, como o primeiro passo no caminho de Buda.

Retornamos e nos abrigamos, nos refugiamos no ser desperto, na lei verdadeira e na comunidade. Se observarmos em profundidade, os três aspectos são interdependentes, estão em interação, *intersendo*.

Agora, aqui, a força desse tesouro se manifesta explicitamente. Dezessete pessoas, dezessete praticantes zen-budistas se uniram. Cada um contribuindo como pode e se responsabilizando por um ano de aluguel do espaço na rua Arruda Alvim 127 B, quando, acreditam eles, o zen dojo se tornará autossustentável.

Para mim, monja, nada poderia ser mais precioso e terno. Agradeço profundamente em nome dos três tesouros. São os três tesouros agradecendo aos três tesouros.

Ninguém ficou esperando que eu tomasse iniciativas, que fôssemos pedir dinheiro no Japão ou a parentes, amigos, conhecidos, empresas. Nem que eu fosse trabalhar em alguma outra coisa, dar aulas ou escrever a fim de criar meios financeiros para me responsabilizar por um aluguel.

Então esse zen dojo tem essa característica preciosa e essencial por ser verdadeira – é fruto de uma *Sanga*, que vem se formando por meio de nossa prática conjunta durante o último ano. É a semente sagrada da comunidade zen-budista.

Que essa mesma pureza seja mantida na prática contínua de nossos membros.

Assim dedicamos os méritos ao bem de todos os seres.

Mãos em prece.

– *Monja Coen*
Primaz Fundadora

Ano 1 • nº 2

Abril/maio/junho de 2002

O que é meditação?

Apesar de existirem muitas formas de meditação, a mais elevada é a sem intenção.

Apenas sentar-se, respirar conscientemente, manter-se numa postura adequada, correta, simples, com estabilidade e permanência. Perceber o processo expiratório e os incessantes movimentos da mente.

Pouco a pouco, sem esforço e sem intenção, podemos observar os intervalos entre os movimentos mentais, as lacunas, os espaços. Reconhecemos pensamentos, emoções, sentimentos, memórias, ansiedades, nostalgias, saudades. Tudo, tudo faz parte do momento meditativo.

Meditar não é esvaziar a mente – esta já é vazia desde o princípio. Está sempre em constante movimento, sem nada fixo, nada permanente. Cada instante é único, cada sensação é instantânea. Passa. Observe que o que permanece são memórias. Não fique apenas rememorando. Venha para o agora. Esteja presente no presente momento. Identifique os processos mentais e a sua conexão com seu corpo. Por meio da respiração consciente e da atenção plena você poderá entrar na meditação mais profunda e acessar o estado chamado de *samadhi* – identificação com tudo e todos.

Observar em profundidade, reconhecer, catalogar e deixar passar. Quando colocamos sal ou areia em um copo com água, nos primeiros momentos a água fica turva. Pouco a pouco o sal e a areia se assentam ao fundo do copo e a água se torna translúcida. Da mesma maneira, quando iniciamos os processos meditativos sentimos dificuldade em reconhecer e identificar o que está acontecendo conosco, com nosso corpo, com nossos processos mentais e com nossos relacionamentos internos. Até mesmo a respiração pode ser difícil de perceber. A expansão da caixa torácica, a retração do inspirar e do expirar. O conforto e o desconforto do corpo que deve permanecer na mesma posição.

Pode parecer cansativo, tedioso. Mas, se persistirmos, poderemos ter momentos de grande clareza, fazer grandes descobertas, entrar em grande intimidade com nosso próprio corpo e com nossa mente. A observadora da mente é a própria mente sendo observada. Até que já não haja mais observadora e observada. E você estará apenas sentada, inspirando e expirando conscientemente, todos os sentidos funcionando na simplicidade e complexidade de suas inter-relações. E você, sentada, presente no presente. Sem ir nem vir. Apenas sendo, *intersendo* com tudo o que há, tudo o que foi e tudo o que será.

A meditação pode ser realizada por qualquer pessoa, não exige talentos especiais. Tanto a meditação sentada quanto a meditação em movimento se completam. Se você se sentar todos os dias durante certo período, desenvolverá um certo tipo de energia: essa energia permite realizar as tarefas diárias com simplicidade e consciência.

As tarefas diárias, mesmo as que você considera monótonas, quando feitas sem reclamar, conscientemente, em plena atenção, passam a ser agradáveis e nos ajudam a fazer novas descobertas. Medite. Pratique *zazen*.

Za é *sentar*, *zen* é *meditar*. Vá além do *eu* e do não *eu*, penetre o seu mais íntimo e redescubra que você, com tudo o que existe, é a vida em incessante movimento e transformação. Escolha o caminho do despertar e faça o bem a todos os seres.

Mãos em prece.

– *Monja Coen*
Primaz Fundadora

Ano 1 • nº 3

Julho/agosto/setembro de 2002

A procura do Caminho

A procura do Caminho não é procura, mas encontro. Quem procura o Caminho é quem já percebeu que o Caminho existe. Muitos não percebem, passam a vida ou vidas sem notar que somos o Caminho Iluminado. O que separa a pessoa comum da pessoa do Caminho é algo muito sutil, invisível, finíssimo, quase impossível de ser expressado em palavras. Na verdade, as palavras podem apenas apontar a direção. Cada um de nós precisa ter a experiência do despertar.

Mestre Eihei Dogen (1200–1253) escreveu que o portal para esse encontro é *zazen*. Ele praticou *zazen* por quarenta anos – desde sua ordenação monástica, aos treze anos, até sua morte, aos 53. Neste ano, em 29 de setembro, será o memorial de 750 anos do seu *Parinirvana*. Durante o ano, todos os monges e monjas da nossa tradição Soto Shu homenagearão nosso fundador. O despertar de mestre Dogen (lê-se "dooguen") foi peculiar. Ele havia ido à China à procura do Caminho Verdadeiro. Tinha vinte e poucos anos. Já havia passado por vários mosteiros e vários mestres. Durante *zazen*, ouviu o abade passar e admoestar o monge sentado ao seu lado: "*Zazen* é abandonar corpo e mente. Como pode estar dormindo?".

Para mestre Dogen, foi essa frase que lhe causou a ruptura, o penetrar do *Darma* de Buda, o grande despertar.

Qual será o seu momento? Como se manifestará? Flores perfumadas? Som de pedregulhos batendo no bambu? O galo cantando? Os pássaros? A visão da lua encoberta pelas nuvens?

Todos os dias podemos estar passando pelos mesmos lugares, fazendo as mesmas coisas e nada percebermos. Nem percebemos que nunca é o mesmo lugar e nunca a mesma coisa. De repente, sem saber como nem por que, há uma abertura, um momento em que tudo se encaixa perfeitamente, tudo faz sentido e a luminosidade do dia e da noite, das folhas, do chão, das pedras e de todas as pessoas muda. O que mudou?

O encontro do Caminho não é apenas um encontro, depende da procura – prática incessante.

Continuemos a nossa busca, iguais, mas diferentes. Como o peixe que ao nadar contra a correnteza e subir a cascata se torna um dragão. Na aparência, um peixe comum, mas quem abriu o olho da mente vê o dragão tranquilo.

Neste trimestre estamos nos preparando para receber uma grande mente desperta. A abadessa do mosteiro de Nagoya, onde pratiquei por oito anos, virá nos visitar. Para essa ocasião bem-aventurada estamos coeditando, com a Editora Palas Athena, seu primeiro livro, *Para uma pessoa bonita*, escrito há vinte anos. São relatos de sua caminhada. Alguns pueris, ternos, inocentes. Outros profundos e intrigantes. Shundo Aoyama Docho Roshi, minha mestra do *Darma*, abadessa do Mosteiro Feminino de Nagoya, no Japão, estará conosco em outubro.

Vamos recebê-la despertas.

Fazer da nossa vida a prática do Caminho é homenagear a todos os budas e ancestrais do *Darma*. Eis aqui, nessa pequena comunidade em formação, um bebê de seis meses de vida, a nossa retribuição ao mestre Dogen Zenji, ao mestre Keizan Zenji e a todos os monges e monjas dessa linhagem Soto Zen, que se iniciou com o despertar de Sidarta – conhecido como o histórico fundador Xaquiamuni Buda.

Que todos os seres iluminados e benfazejos nos protejam e nos guiem na completude de nossos votos, de modo que a Sabedoria Iluminada e a grande compaixão se manifestem em todos os líderes de nações e em grandes empresas para abrir possibilidades de paz duradoura. Que, unidos com todos os religiosos e leigos da URI (Iniciativa das Religiões Unidas), na Assembleia Global do Rio de Janeiro, em agosto, possamos somar forças na criação de uma cultura de paz para o benefício de todos os seres.

Mãos em prece.

– Monja Coen
Primaz Fundadora

Ano 1 • nº 4

Outubro/novembro/dezembro de 2002

Mesmo não podendo vir, Shundo Aoyama Roshi chega até nós. Seu livro *Para uma pessoa bonita* será lançado dia 19 de outubro, na Associação Palas Athena, com a qual coeditamos. Este exemplar de *Zendo Brasil* é dedicado à mestra Aoyama, com profundo respeito e gratidão por tudo o que tem feito em sua caminhada zen.

Quando soube que Aoyama Roshi não poderia vir ao Brasil, pois ela caíra caminhando sozinha na montanha próxima de seu templo, em Nagano, à procura de wasabi (aquela planta ardida da qual se faz uma pasta verde utilizada na culinária japonesa), não quis telefonar de imediato. De que adiantaria importuná-la se de tão longe poderia fazer tão pouco? Aoyama Roshi tem muitas discípulas e com certeza todas estão se revezando para ter a honra e o prazer de servi-la. Finalmente, calculando que ela já estaria em melhores condições e que já teria voltado ao seu templo, telefonei. A primeira coisa que ela me disse foi "Desculpe, não posso ir ao Brasil este ano. Desculpe. Sei que você fez planos para me receber. Desculpe".

Muitos de nós talvez iniciássemos a conversa contando de nossas dores e desconfortos, reclamando da situação. Ela não se lastimou uma única vez. Parecia até envergonhada por haver caído, pela preocupação que havia causado, pela mudança nos planejamentos anteriores e pela possibilidade de ter prejudicado alguém. Não pensava em si mesma.

Não pensava e nem queria comentar sobre a queda, como se fosse algo secundário. Só se preocupava com meu possível desapontamento.

Desde então tenho percebido a imaturidade de minha prática e de minha compreensão, muitas vezes colocando dores, preocupações, planos, disposições e vontades em primeiro lugar.

Outro dia fui a uma cerimônia inter-religiosa, na inauguração da Praça Mundial da Paz. Lá encontrei uma senhora italiana, discípula de Thich Naht Hahn. Ela me contou o seguinte episódio:

> "Certa feita, o monge Tai *(como ele é chamado por ela)* estava vindo à Itália com muitos outros monges. Eu era parte do grupo e os esperava ansiosamente. Quando finalmente chegaram, estávamos muito atrasados para as atividades programadas. Fui logo agarrando as malas e perguntando a eles quais eram as deles, pois estava lá para ajudar. Então ele me disse: 'Com essa ansiedade, você não pode me ajudar. Acalme-se primeiro. Prefiro não ter sua ajuda assim nesse estado'. Então eu parei. De repente, a ansiedade toda se foi e eu me tornei sua discípula."

É nas coisas pequenas de nosso dia a dia que demonstramos a profundidade de nossa prática e entrega ao Caminho de Buda.

Que Aoyama Roshi tenha uma pronta e completa recuperação e que possamos aprender com seus textos, com seus ensinamentos e com seu exemplo de vida.

Que, inspiradas pela grande mestra Aoyama Roshi, possamos praticar e despertar em cada uma de nós e em todos que encontrarmos o caminho da sabedoria e da compaixão ilimitadas.

Mãos em prece.

– Monja Coen
Primaz Fundadora (2002 – ABERTURA)

Ano 2 • nº 5

Janeiro/fevereiro/março de 2003

Feliz Ano-Novo!

Que a grande Sabedoria Iluminada possa trazer o compartilhar, o compreender, o cuidar, a ternura, a compaixão e o saber, para o bem de todos os seres, melhorando a qualidade de vida.

A Assembleia Geral das Nações Unidas proclamou o ano de 2003 (ano de Buda de 2627) como o Ano Internacional da Água Doce. Será que estamos cuidando sábia e compassivamente das águas?

Mestre Dogen escreveu:

“A água não é forte nem fraca, nem seca nem molhada, nem fria nem quente, delusão ou iluminação. Quando sólida, é mais dura que o duríssimo diamante; quando derrete, é mais macia do que o leite mais suave. Assim sendo, não devemos duvidar da virtude da água. Devemos estudar e observar por certo tempo a água nas dez direções do universo. Não é o estudo da água visto por seres humanos ou deuses, mas o estudo da água vista pela água. Há uma prática e uma iluminação da água e há um método para procurar a água da água. Devemos perceber o caminho de encontrar a

> mesmos através de nós mesmos. Os outros devem estudar os outros seguindo caminho que se move livremente e transcende a si mesmo. Rios e oceanos estão na água... Em uma gotinha de água incontáveis terras Buda se manifestam. Onde budas e ancestrais vão, a água certamente segue. Budas e ancestrais possuem o corpo, a mente e o pensamento da água. Nos textos budistas nunca está escrito 'água não flui para cima'. A água flui em todas as direções – para cima, para baixo, para frente e para trás. ”

Não é só a água que está fluindo constantemente em todas as direções. Certa vez, mestre Dogen retirou uma concha de água do rio, bebeu o necessário e devolveu o resto. No mosteiro-sede de Eiheiji, próximo ao local onde estão guardadas as cinzas de mestre Dogen, há um pequeno correr de água e uma concha a nos lembrar desse episódio, de respeitar e compreender a água doce. A doce água. Ecologia, sustentabilidade, respeito à vida. Tudo presente no simples gesto de usar apenas o necessário e devolver o excedente.

Que haja suficiente água, alimentos e ensinamentos para todos do Sul, do Norte, do Nordeste, do Sudeste, do Centro-Oeste; para cima e para baixo, nesse compartilhar macio, pleno de justiça e de coragem, transformando as consciências, derretendo as durezas das mentes, partilhando a vida sem violências desmedidas, mas com a paz se estendendo, fluindo para fora e para dentro. Um estandarte de festa, de alegria e de respeito por tudo e por todos, como é de direito.

Mãos em prece.

– *Monja Coen*

Ano 2 • nº 6

Março/abril/maio de 2003

Meus olhos choram as tristezas das guerras, das manchetes e das fotos de dor e pavor. Procuro por momentos de *zazen* e de prece, encontro meus companheiros, irmãos e irmãs da cultura da paz. A internet nos une em redes. Nossos encontros se multiplicam. Na Catedral da Sé, no equinócio do dia 21 de março, rezamos junto com o arcebispo de São Paulo Cinco Mistérios, Ave-Marias e Pai-Nossos pelas vidas em todos os continentes. No dia 22 de março, à noite, a Década da Cultura da Paz fez uma manifestação singela, sem faixas de algozes, sem pedras, sendo a paz que queremos no mundo, em volta da estátua de Mahatma Gandhi, ao lado da Assembleia. Nosso Círculo de Cooperação de São Paulo, da Iniciativa das Religiões Unidas (URI), escreveu uma carta-manifesto pela paz, pela não violência ativa, contra a guerra. Para nos unirmos na paz, temos de ser essa paz. Temos de ser o respeito, a compreensão e a compaixão ilimitada por todos os seres.

Nesses momentos de dor trabalhamos pela construção de uma cultura de paz abrangente. Cada momento é importante, cada ser que percebe e se transforma está contribuindo para o fim das guerras. É preciso estar atento e ser forte.

No Dia Internacional da Mulher, celebramos a vida e rogamos pela paz na Igreja Anglicana.

Rogamos a nós mesmos que nos modifiquemos.

Que vergonha a espécie humana, ainda tão mesquinha e tola.

O que é necessário para que desperte, para que acorde, para que perceba o que percebeu Xaquiamuni Buda ao exclamar: "Eu e todos os seres do céu e da terra simultaneamente nos tornamos o Caminho!"?

Não há exclusão. A verdadeira sabedoria é plena de compaixão.

Minha mãe escreveu certa vez um poema, por ocasião da morte de sua irmã mais nova:

Eu me revolto e choro. Eu estremeço e clamo,
Contra esse noivo infiel que a morta noiva trai.
Mas, tu, talvez, que nos jardins dos céus vagueies,
D'oiros os cachos devagar meneies
E num sublime amor tu lhe murmures: Vai.

Esse sublime amor não é apenas para os anjos, para aqueles que já se foram. Esse amor incondicional é possível entre nós, simples humanos. Não é necessário que sejamos especiais, de maneira alguma. Esse amor está na ternura simples da percepção mais banal e esquecida de sermos todos uma só vida.

Nosso mestre original Xaquiamuni Buda explicava que budas e bodisatvas são tantos quanto os grãos de areia no Ganges. E que em cada grão de areia nasce um outro rio Ganges, com outros tantos grãos de areia que, por sua vez, formam outros rios Ganges, e assim sucessivamente. Somos tantos, percebem? Vamos permitir que os seres iluminados em nós se manifestem. Vamos emitir ternura e compreensão. Vamos transformar nossa indignação em compaixão, como ensina o XIV Dalai Lama. É possível, sim. Outro mundo é possível.

Vivenciamos isso no Fórum Social Mundial de Porto Alegre. Estávamos todos unidos por tanta ternura e respeito. Nas nossas diferenças. Agora vem a guerra e nos revoltamos e clamamos e queremos encontrar um culpado, um responsável, como se assim pudéssemos todos *nos livrar do mal, amém*. Não. Não há só um culpado, só um responsável.

No Brasil, a pobreza, a incerteza e a desesperança, organizando o crime como um movimento de mudança social. "São bandidos miseráveis, merecem a pena de morte!", gritam alguns. Eu não sei. Sei que não são só eles que matam, que roubam, que negociam drogas. Quem são seus compradores? Quem são? Por certo não são os pobres das ruas e das escadas que os fazem ricos senhores portadores de armas raras...

Nos momentos mais difíceis, procuro dentro de mim os ensinamentos dos antigos mestres budistas e encontro apenas compaixão e sabedoria, sem exclusão. Nossa vida tem que ser a manifestação constante e suave da compaixão, que sente com o outro e auxilia do mesmo plano, sem restrições. Percebendo que todos somos capazes dos atos mais medonhos e mais santos. Vamos juntos, por favor, criar condições para que se abram os corações e as mentes daqueles que ainda não são capazes de amar incondicionalmente.

Maha Prajna Paramita, para o bem de todos os seres.

Gassho. (*Mãos em prece*)

– ***Monja Coen***

Ano 2 • nº 7

Julho/agosto/setembro de 2003

Corpo de Buda

Mine no iro	Do cume, é a cor
Tani no hibiki mo	Do vale também é o eco
Mina nagara	Ambos são
Waga Shakamuni no	Do próprio Xaquiamuni
Koe to sugata to	A voz e o corpo

(Mestre Eihei Dogen, 1200–1253)

Mine no iro: *a cor* ou *as cores* do pico da montanha. O *kanji iro* também significa *forma*. Então, *As formas dos picos das montanhas são o corpo de nosso mestre original Xaquiamuni Buda*.

Tani no Hibiki mo: *tani* é o vale, enquanto *hibiki* é o seu som, seu repercutir, seu eco. *Mo* significa *também*. Então, *Também os sons dos vales são a sua voz*.

Mina nagara: *mina* quer dizer *todos* e *nagara* pode ser traduzido como *juntos*, *unidos*.

Waga Shakamuni no: *Do próprio Xaquiamuni são*.

Koe to sugata to – *A voz e a forma* ou *a voz e o corpo*.

Mestre Dogen era um exímio poeta. Esse poema é considerado uma de suas obras-primas, quer pela utilização dos apropriados *kanji* chineses, quer pela harmonia dos sons em japonês, quer pela contagem das sílabas.

Entretanto, mais do que tudo, revela o nível profundo e sutil de sua compreensão do *Darma*.

Simples e objetivamente, mestre Dogen nos aponta todo o universo, vivo e palpitante, como sendo o corpo e a voz de Buda. O Buda cósmico presente em todos os seres. É um aspecto muito importante, pois alguns insistem em dizer que a Natureza Buda, iluminada, se manifesta apenas nos seres que sentem. Quem sente e quem não sente? O que é sentir? A partir de que padrões estamos considerando as sensações e os sentimentos?

Dogen Zenji Sama deixa claro nesse poema que Buda está presente nas pedras, nas montanhas, na voz do riacho do vale. Está sempre presente em tudo. Logo, também está presente em cada um de nós. Mais do que isso, cada um de nós é uma das inúmeras e diversas manifestações do Ser Iluminado.

Como estamos vivendo, experimentando e manifestando esse Ser Iluminado em nossas vidas?

Dogen Zenji Sama nos lembra, por meio de seus escritos, de que os seres iluminados também estão sujeitos à lei da causalidade. Cabe a cada um de nós criar um carma positivo, fazer o bem a todos os seres. As relíquias de Buda vieram nos visitar. Sem dúvida, resultado de carma positivo acumulado por muitas pessoas ao longo de gerações. No encontro que tivemos no Sesc Pompeia, pude agradecer ao reverendo Ricardo Mário Gonçalves, primeiro do budismo brasileiro. O que recebemos agora é o resultado da prática constante e correta de todos os que nos antecederam. Grande responsabilidade. Temos de continuar criando causas e condições para que as bençãos da grande sabedoria e da infinita compaixão se manifestem em todos os seres.

Que o corpo vivo de Buda esteja sempre em nós.

Que todos possam se tornar o Caminho Iluminado.

Mãos em prece.

– Monja Coen

Ano 2 • nº 8

Outubro/novembro/dezembro de 2003

Jo do – A iluminação

> "Ware to dai chi shu jo do ji ni jo do su"
> "Eu e todos os seres da grande terra ao mesmo tempo nos tornamos o Caminho."
>
> *– Xaquiamuni Buda (século 6 a.C.)*

Xaquiamuni Buda, depois de se tornar um grande mestre de ioga e passar por alguns anos de práticas ascéticas envolvendo grandes jejuns, aceitou o arroz doce oferecido por Sujata, a pastora, banhou-se no rio e sentou-se em *zazen* sob uma figueira-da-índia.

Pensou com preocupação sobre toda a sua vida e sobre seus relacionamentos, mas se manteve sentado. Foi tentado por todos os desejos dos sentidos, mas se manteve sentado. O rei dos demônios tentou removê-lo de sua prática, mas ele se manteve irremovível. Assim, ao amanhecer do oitavo dia, ao ver a estrela matutina, proclamou a frase que expressa sua iluminação completa: "Eu e todos os seres da grande terra ao mesmo tempo nos tornamos o Caminho".

Mestre Keizan, nosso venerável guia do Japão, deixou-nos um legado inestimável, o *Denkoroku – Anais de Transmissão da Luz*, no qual relata os vários episódios de iluminação dos monges ancestrais da nossa linhagem, até o seu mestre de transmissão, Koun Ejo Zenji. A introdução dos anais é o capítulo sobre Xaquiamuni Buda.

Todos os anos, em abril, no mosteiro-sede de Sojiji, é realizado o Retiro dos Anais da Transmissão da Luz. Certa vez, há muitos anos, enquanto eu participava do retiro, estudamos juntos esse texto. Mais tarde, em nosso mosteiro de Nagoya, meu mestre de transmissão Zengetsu Suigan Daioshô (Yogo Roshi) fez uma palestra do *Darma* nos ensinando que esse *ware – eu* – de Xaquiamuni se refere a toda a vida do céu e da terra. Que ensinamento precioso!

A partir dessa experiência de Iluminação se inicia historicamente o budismo.

Xaquiamuni Buda dizia que há tantos budas quanto grãos de areia no rio Ganges. Se entendermos que cada grão de areia do Ganges é um outro rio Ganges, e assim sucessivamente, são inumeráveis, ilimitados, infinitos os números de seres iluminados no mundo.

Nosso venerável mestre original Xaquiamuni Buda nunca disse ter sido o primeiro nem o último. Jamais se considerou único. Quando mais tarde foi visitar seu pai e este lhe perguntou o porquê de raspar os cabelos, ele respondeu: "Faço como fizeram todos os budas do passado. É a minha homenagem de gratidão".

Em dezembro, celebraremos a Iluminação, chamada de *Jo Do* em japonês. *Jo* é um caractere que significa *tornar*, *obter*, *realizar* ou *autenticar*. *Do* ou *Michi* significa *o Caminho*. Essa expressão *Jodo* é conhecida no Japão como *realizar* ou *autenticar* o estado de Buda. Nossa celebração consiste em fazer o que fez nosso ancestral do *Darma*. Sentamo-nos em *zazen* por uma semana. Passamos por muitas das fases que o próprio Buda passou e nos damos a oportunidade de perceber o que ele percebeu: "Todos somos o Caminho".

O Ser Iluminado torna consciente a verdade de que *intersomos*, de que tudo está inter-relacionado e em constante transformação. Cada evento, encontro ou relacionamento é apenas uma das diversas faces do Caminho.

Que a nossa prática seja a de autenticar essa compreensão suprema, *Anokutara Sammyaku Sambodai*, e de nos tornarmos simples e disponíveis a fazer o bem a todos os seres.

Que todos possam se tornar o Caminho Iluminado, sem retroceder.

Mãos em prece.

– Monja Coen

Ano 3 • nº 9

Janeiro/fevereiro/março de 2004

Feliz Instante Novo

Renascendo a cada instante, as partículas dos elementos básicos constroem e desconstroem de acordo com causas e condições.

Assim, desejo a todos vocês um feliz Instante Novo, lembrando que feliz vem de *felice*, que é também *fértil*, *frutífero*, *alimentício*, de *compartilhar*, *alimentar*, *nutrir*, e não de *colher* e *retirar*.

Instante feliz é instante de se abrir, de se dar. Desejar um feliz Ano-Novo seria como desejar uma vida nova, mas será que a vida, como o ano, tem começo e tem fim? Quando começa o ano, quando ele termina? E a vida? Seria no dia do nascimento, no sair do útero? Ou já existia na ancestralidade da própria existência?

Nos países do Norte, onde o frio é forte, a primavera é o Ano-Novo, o renascer da vida que pareceu contida e hibernada sob a neve. Seria o desabrochar da ameixeira branca, o primeiro botão anunciando o reinício, descerrar portas e janelas, plantar e colher, correr entre a brisa no campo de flores com borboletas, pássaros, insetos e sapos.

É a vida. Daquela árvore seca, daquele galho retorcido e aparentemente morto nasce um pequeno e perfumado botão branco. O raio de sol bate na neve, e tudo é luz.

Aqui no Brasil, São Paulo, cidade de 450 anos, no trópico temperado, nem doce nem salgado, onde a vida não se arrefece com o frio, onde as árvores florescem em todas as estações, onde a neve não fecha portas e janelas, não tranca as sementes sob a terra nem esconde as flores nos galhos secos, onde começa o ano?

Buda dizia que a vida não para nem por um só instante. Nos galhos, nos ninhos dos pássaros que migram e que não migram, pois migrados estão. São Paulo, cidade grande, cresce povoada por mil povos e mil sonhos, no Brasil sem guerras. Brasil de luxúrias, de jogos, de sexo, de divindades nuas nas praias, nos clubes, nas alas de Carnaval. Crianças peladas, barrigas inchadas, narinas pingando. Fezes nas ruas, cachaça, suor, bafo. Encosto que encosta e não desencosta, da fome que mata, derruba, enfraquece e nunca esquece, porque dói.

Quem é responsável por toda essa bagunça senão todos nós?

Queríamos tanto ver o milagre de um novo santo. Um Buda renascido. Maitreya, talvez, trazendo a notícia de que tudo se conseguirá, se alterará; a felicidade, a abundância e a alegria, a justiça e a ternura estão a chegar. Mas mestre Dogen nos conta que quando alguém se torna Iluminado, é Xaquiamuni Buda outra vez.

Queríamos tanto acabar com a fome, com a miséria, com as maldades, com os crimes, com as mortes. Ah! Queríamos tanto uma terra pura, com equidade para todas as formas de vida, daqui e do céu, dos mares, das montanhas, da lua. E nesse querer ficamos estáticos, hipnotizados, voltados aos nossos próprios umbigos. Enchemos as barrigas de vento e de água. Água límpida que cura, mata a sede, lava e purifica, ou água suja que adoenta, polui, maltrata e arrebenta.

Queria poder desejar a vocês e a todos nós um instante que fosse de pura certeza da transformação da feiura em beleza. Por *feiura* eu entendo tudo que é mau, que destrói e derruba, que esconde e estupra, que sequestra e corta, que atrasa e mata, que não acolhe e afasta, que discrimina e evita, que não dá oportunidade e exclui, que mantém amarrados pobres coitados de todos nós nos grilhões da ganância, da raiva e da ignorância. Buda dizia aos governantes que o maior benefício que poderiam conceder a uma população era a capacidade de encontrar a Verdade, de abrir suas mentes para o Caminho e para a essência da vida.

São esses, portanto, meus votos de agora, de hoje, deste instante muito antes do nascer e do morrer, em que sou *intersendo*:

Que possamos juntos redescobrir o amor.

Que juntos possamos confiar e ajudar, sem medo.

Acabar com a fome de alimentos, justiça, cuidados, carícias, verdades, vida.

Unidos seremos capazes de erguer alto, bem alto, e espalhar sobre a terra nosso manto. Nunca um manto de guerra. Um manto de Buda, um manto de paz.

"Vasto é o manto de libertação,
Sem forma é o campo de benefícios.
Usar os ensinamentos de Buda
É salvar todos os seres."

– ***Monja Coen***

Ano 3 • nº 10

Abril/maio/junho de 2004

Buda

Índia, mais de 2.600 anos atrás. Nos jardins de Lumbini, nasceu Sidarta Gautama. Dia 8 de abril. Flores desabrocharam. Doce néctar caiu dos céus. Todos se alegraram. O bebê se levantou, caminhou sete passos em cada uma das quatro direções e, apontando com a mão direita para o céu e com a esquerda para a terra, disse: "Entre o céu e a terra, sou o único a ser venerado".

Brasil. Dias atuais. Nos jardins de São Paulo, flores desabrocham. Doce néctar cai do céu. Todos se alegram. Alguém se levanta e caminha em todas as direções, apontando para cada ser e diz: "Você deve respeitar e ser respeitado. Onde está o único ser venerável da Índia antiga? Morreu ou continua caminhando em todas as direções fazendo surgir budas e mais budas, seres veneráveis que respeitam a vida?".

Isto é o que temos de esclarecer em nossa prática diária.

Quem é Buda?

Onde está agora?

Como podemos encontrá-lo face a face? Não basta apenas banhá-lo em chá adocicado. Não basta apenas rememorar o jardim das flores, não basta repetir suas palavras sagradas e seus gestos nobres.

É preciso penetrar a grande intimidade de todos os budas. É preciso sentir seu hálito em nossas bocas, seu piscar de olhos em nossas pálpebras, seu sorriso em nossos lábios.

Como nos tornamos seres veneráveis? É possível? Será que somos capazes de venerar a nós mesmos? Será que nos respeitamos como seres humanos, como pessoas?

Se não formos capazes de perceber o ser venerável em nós, como percebê-lo nos outros? E se não houver outros? E se os outros forem apenas aspectos da mente? Onde está Buda?

Procuremos meticulosamente no céu, na terra, nas águas, no ar. Procuremos em cada planta, em cada pedra, em cada inseto e em cada animal; em cada plasma, em cada vida, em cada morte, em toda carniça queimada por guerras macabras. Procuremos Buda na luz da manhã, no canto dos pássaros e no silêncio das grandes alturas. Procuremos nas fendas da terra, nas profundezas do magma, no calor dos vulcões, das lavas queimando as terras plantadas, nas casas viradas.

Procuremos Buda em cada formiga e em cada cigarra. Procuremos nos pobres e também nos ricos. Nos belos e nos feios, nos puros e nos impuros, nos saudáveis e nos doentes, nos homens e nas mulheres, nas diferentes orientações sexuais. Procuremos nas ruas, nas sarjetas, nas mansões, nas porcelanas. Procuremos nas guerras, entre mortos e feridos, nos soldados assustados, nos civis amedrontados, nos terroristas perdidos. Procuremos nas pessoas santificadas, de Madre Teresa ao Mestre Zen. Procuremos no mendigo, no pedinte, no presidente. Procuremos na prostituta, na senhora de pura conduta.

Quem sabe está na filósofa, no professor, no general? Estaria infiltrado entre os comunistas ou entre os neonazistas? Por onde anda Buda, o Ser Iluminado?

Será que está escondido entre plantas medicinais, numa caverna ou gruta plena de água pura?

“Seus medos, preocupações e ansiedades, ignorâncias e erros de compreensão há muito acabaram e não deixaram resíduos. Ele possui o *paramita* da sabedoria e os meios expedientes, sua grande bondade e infinita compaixão são constantes e irremovíveis. Durante todo tempo procura o que é bom e o que beneficia a todos. Nasce no triplo mundo, numa casa em chamas, podre e velha, a fim de salvar todos os seres do fogo do nascimento, da velhice, da doença e da morte, das preocupações, dos sofrimentos, da estupidez, da má compreensão e dos três venenos. Nasce para ensinar e converter, permitindo a todos obter *anokutara sammyaku sambodai*.

‘Para trazer paz e segurança a todos os seres, é por isso que apareço no mundo.’

A lei de Buda é assim. Para pregar o *Darma* utiliza dez mil, milhões de expedientes de acordo com o que é apropriado. Aqueles que não são versados nesse assunto não poderão compreender, mas você e os outros, que já conhecem os budas, os professores do mundo, que são meio expedientes de acordo com o que é apropriado, vocês não terão dúvidas nem perplexidades. Suas mentes estarão repletas de grande alegria e vocês saberão que vocês mesmos obterão o estado de Buda.”

(***Sutra da Flor de Lótus da Lei Maravilhosa***, *trecho dos capítulos II e III*)

– Monja Coen

Ano 3 • nº 11

Julho/agosto/setembro de 2004

Interser

Somos a vida do universo em constante transformação. Estamos interligados a tudo e a todos os seres. Não existimos isoladamente.

Há um antigo texto budista que descreve o universo como uma rede de raios luminosos. Em cada intersecção, uma joia emitindo raios em todas as direções.

A rede toda está viva. É feita de diversas formas de vida. Essa é a sua preciosidade. Não somos iguais. Somos diferentes e, ainda assim, não há superior ou inferior. Conforme as causas e as circunstâncias, colocamos algumas coisas em pedestais enquanto desconsideramos outras.

Quando as águas ficam poluídas e escassas, a água se torna o tema principal de nossas preocupações. Podemos, ou melhor, devemos, colocar um copo d'água pura no local mais sagrado e nos reverenciar.

> “Porque há coisas raras e preciosas em pedestais,
> há gatos selvagens e vacas brancas.”
>
> (Hokyo Zanmai, *Samadhi do Espelho Precioso*, texto do século 8, China)

Nós podemos colocar um diamante raro, enorme e brilhante em uma vitrine especial. Mas se não houver terra, rocha, carvão, não há diamante. O diamante precisa de todas as formas não diamante para sê-lo. E contém em si tudo o que não é diamante.

Quando percebemos que fazemos parte dessa rede viva, também percebemos que o que fizermos altera o todo.

Não só estamos sendo transformados pelo que está acontecendo no Iraque ou em Israel, mas também pelo que acontece com os índios brasileiros, com as mulheres africanas e com os afrodescendentes em todo o mundo. Somos influenciados por tudo e por todos. Pelo que vemos nas manchetes dos jornais e pelo que não vemos. Pelo que sabemos conscientemente e pelas coisas que sequer sabemos que estão acontecendo. Somos todo o processo.

Mahatma Gandhi dizia: "Somos a transformação que queremos no mundo".

Assim como somos influenciados, também influenciamos. Nossa vida faz parte da rede de raios luminosos em constante movimento. Somos essa rede. Podemos direcionar nossas energias vitais para alterar o todo por meio de nossas ações, palavras e pensamentos.

Temos em nós toda a memória do universo e todas as possibilidades de sentimentos, pensamentos, palavras, ações, relações. Podemos direcionar, escolher, cultivar energias benéficas e viver mais felizes.

Feliz vem de *fértil*, de *doar*, de *compartilhar*, mas temos nos esquecido disso.

Pensamos que ser feliz é ter mais coisas, mais relacionamentos, mais amores, mais objetos. Entretanto, por mais que os tenhamos, eles nos enfadam, e acabamos procurando por outros "brinquedos".

Recebemos a todo tempo cargas de energia, de informações, e também emitimos energia, informações. Nossa vida é uma teia de causas, condições e efeitos – individuais e coletivos. Não de forma linear. Um efeito é uma causa e uma condição também. É múltiplo, simultâneo. Como diz o monge vietnamita Thich Naht Hahn: "Não somos. *Intersomos*".

Thich Naht Hahn vive atualmente no interior da França. Ele acha que deveria constar nos dicionários esse verbo: *interser*. Uma de suas explicações mais belas e mais simples é sobre a capacidade de vermos uma nuvem em uma folha branca de papel. Sem a nuvem, não há chuva. Sem água, não há vida, não há árvore. Se virmos a árvore, podemos ver a terra, o lenhador, a mão do lenhador e o pão e o campo de trigo... Então, em cada pedaço, o todo está presente. E cada um de nós é feito de elementos que não são nós. A folha é feita de nuvem, de céu, de árvore, de lenhador, de pão. Estamos interligados. Interconectados. *Intersomos*.

Gensha Shibi, que ficou conhecido como um grande mestre zen, viveu na China, no século 8. Ele dizia aos que lhe perguntavam qual era a essência de seus ensinamentos: "O universo é uma joia arredondada. Não viemos de fora. Não iremos para fora. Somos a joia".

Podemos criar culturas de paz e de não violência ativa se, compreendendo o *interser*, desenvolvermos a capacidade de amar e de respeitar a vida.

Está em nós. Faz parte de cada um de nós. Podemos escolher e nos libertar de tudo o que aprisiona e reduz as nossas capacidades criadoras e enriquecedoras.

– *Monja Coen*

Ano 3 • nº 12

Outubro/novembro/dezembro de 2004

A esperança é precisa
Quando tentamos e falhamos, continuamos.
Se o olhar se embaça,
Buda nos abraça
Ternamente
O Caminho se revela inesperado
Pois todo o esperado, toda a esperada,
Desaparecem.
Recebendo prêmios e troféus
Sinto o vazio de não méritos
Grandes mestres BodiDarma e a realidade do *zazen*:
Unidos o *eu* e os outros, a pessoa comum e a sábia.
Sem movimento, sem esforço.
O não *eu* e o não outro.
Prática contínua, incessante.
Seis Perfeições, vazio, carma.

A injustiça pode ter causa anterior e pode nos levar ao Caminho. Mas também deve ser transformada em justiça social, sem discriminações contra pessoas, religiões, profissões, regiões, animais, vegetais, minerais, ventos, mares, terras, ares.

Aqui deixo meu *axé* (que significa *nós realizamos*) à Campanha Contra a Intolerância Religiosa, do Ceert. Juntos caminhamos lado a lado, mão em mão, corações unidos na esperança de compreensão e respeito entre todos, nas escolas, nas ruas, nas casas, na mídia.

Em novembro comemoramos o nascimento de mestre Keizan, que desperta ao ouvir que "a equidade da mente é o Caminho". Mente além da discriminação. Uma no uno. Mestra Mahaprajapati, nossa primeira monja histórica, sussurra para mim que "apesar de todas as dificuldades, o Caminho é suave". Cada obstáculo é, na verdade, um novo portal.

Estive em Salvador, com as salvadoras. Irmãs, freiras, madres, mães amorosas e sábias. Religiosas católicas apostólicas romanas dedicadas a fazer de sua congregação uma vida de trabalho, serviço, devoção, empenho e transformações sociais. Educando, compartilhando. Tanta ternura me levou às lágrimas, receber aplausos fortes por minhas frases curtas.

Não podemos silenciar. Temos de cantar bem alto a Verdade. Discriminações e injustiças não podem ser admitidas. Mas é com o coração amoroso, bondoso, que precisamos elevar nossas vozes e sermos ouvidas. Sempre.

Há caminhos, mas o Caminho se abre a todos os caminhos e a todos os caminhantes. Inclusão total – a Verdade, a vida.

Faço aqui minha homenagem a todas as mulheres que encontraram sentido em suas vidas, que são capazes de se dedicar com coragem e fé a fazer o bem a todos os seres. Mahaprajapati Saishi, grande mestra, seguiu Buda Xaquiamuni por longas noites e dias. Pés sangrando, mãos vazias, coberta de poeira e certeza, aguardou sem desistir, insistiu sem ofender. Foi a primeira revolucionária budista pelos direitos das mulheres. Foi a primeira monja histórica.

Ananda era atendente e primo de Buda. Foi Ananda quem interveio em favor das mulheres que, juntas a Mahaprajapati, suplicavam pela inclusão na ordem monástica. Ananda perguntou então ao mestre:

– Todos os seres são Seres Iluminados, sem exceção?

– Sim, Ananda – o mestre respondeu.

– Então, mestre, por que Mahaprajapati não pode receber a ordenação monástica?

Buda refletiu profundamente e cedeu, nos deixando essa mensagem histórica de que mesmo um Ser Iluminado está sujeito aos valores e limitações de sua época, de sua linguagem, de seus costumes. A diferença é que pode rapidamente aperceber-se e transformar-se.

– Monja Coen

Ano 4 • nº 13

Janeiro/fevereiro/março de 2005

Feliz 2571

"*Zazen* que nos abre os olhos. Direito, esquerdo e terceiro. *Zazen* do despertar. Ver por dentro e por fora. Ver mais longe do que a vista pode alcançar. *Zazen* de fazer o bem, sem jamais se cansar."

De acordo com estudiosos japoneses, iniciamos o ano de 2571 da Era de Xaquiamuni Buda.

Reflitamos. Ano-Novo.

Retrospectiva do ano anterior e de anos anteriores. Nesses últimos 2571 anos, o que fizemos?

Construímos civilizações e as destruímos. Construímos casas, palácios, povos e os destruímos. Nos unimos contra um mal comum e nos separamos, tornando o mal comum.

Criamos armas mortíferas. Matamos e morremos. Criamos remédios. Curamos e fomos curados. Seres saudáveis se dedicaram aos adoentados. Doentes permitiram aos saudáveis que os servissem.

Comunidades de diferentes valores e humores se uniram e se separaram. As árvores cresceram fortes. As florestas foram devastadas.

As águas surgiram límpidas das fontes puras e se tornaram turvas e poluídas nos rios baixos, nos canos das casas, nas pias, nos esgotos, nas fossas abertas nas ruas.

A terra se entregou colorida e fértil. Foi violada e se tornou seca e dura. Descobrimos meios de reaproveitá-la, de irrigá-la, de adubá-la. Floriram os campos e as serras. Criamos sementes e embriões. Matar as fomes, criar a vida. E nos vimos, pequeninos, culpados e feridos ao perceber que a nossa criação também morre e mata.

Tentando e aprendendo a trama da vida, a humanidade se perdeu em batalhas que destroem todo carinho e respeito. Viramos feras medonhas, capazes de crimes terríveis, sem a menor compaixão, estuprando e destroçando crianças, mulheres, homens, homossexuais, matas, águas, cidades, nações. Nos perdemos nos venenos da ganância, da raiva, da ignorância.

Procurando poder, felicidade e lazer, consumimos mais do que precisamos. Engordamos luxurientos, sem ouvir dos pobres e fracos seus lamentos.

Seguindo por caminhos sagrados, praticando os ensinamentos deixados por mestres sábios e procurando em nós, encontramos Xaquiamuni Buda. Então tudo muda. A corrida ganha outra forma, as tarefas e os prazeres se transformam. Paramos por um momento. Percebemos o que nos cerca, que mundo é este em que estamos e como podemos amenizar todo o sofrimento.

Sem extremos.

Zazen que nos abre os olhos. Direito, esquerdo e terceiro.

Zazen do despertar. Ver por dentro e por fora. Ver mais longe do que a vista pode alcançar. *Zazen* de fazer o bem, sem jamais se cansar. Que seja um ano – se anos existem e se dividem apenas como expedientes para nos encorajar – de muito *zazen*, penetrando o *samadhi* dos budas ancestrais.

Que seja um ano bom para o despertar.

Que possamos construir a terra pura e sagrada onde juntos plantamos e colhemos, compartilhamos e cuidamos ternamente da vida.

Ética da vida. Vida que cuida da vida em vida. Todas as vidas.

Namu Xaquiamuni Buda.

– Monja Coen

Ano 4 • nº 14

Abril/maio/junho de 2005

Do nascimento à morte não existe nascer e morrer, e tudo nasce e morre. As ondas do mar e as pequenas marolas são como as vidas de agora e de outrora, sempre se movendo. Nunca vi o mar parar nem tenho notícia de que tenha cessado algum dia. Imagine se de repente o mar não mais se movesse? Assim é como é, vida e morte, incessante transformar.

« Portais do *Darma* são inumeráveis, faço o voto de apreendê-los. »

É o segundo voto de um(a) bodisatva. Apreendê-los, não apenas aprendê-los. Vivenciar a Verdade. Viver sem falsidades. Sem fingir nem mesmo para si, sem pretender esconder. Sendo a vida que é em mim, em você, em nós. Simplicidade. *Darma* com letra maiúscula significa a Lei Verdadeira; com letra minúscula, são os inumeráveis *Darmas*, as miríades de formas, tudo o que existe. Há nisso uma interação. Percebam.

– Monja Coen

Nascimento de Buda

Gotan-e

Na tradição de nossa escola, Soto Shu, em abril comemora-se o nascimento de Sidarta Gautama, o jovem príncipe que se tornou Buda. Segundo os pesquisadores japoneses, a data de seu nascimento, há 2571 anos, corresponderia ao atual dia 8 de abril. Na praça da Liberdade são oferecidas flores e chá adocicado e é montado um altar singelo, onde a imagem do pequeno Buda aponta uma das mãos para a terra e a outra para o céu. Relembrando seu nascimento, banhamos suavemente a pequena imagem, usando uma concha de bambu. O banho é de chá de hortênsia – erva vinda do Japão –, naturalmente adocicado como o néctar sagrado que os sutras dizem ter caído naquele instante sobre o recém-nascido. Nesse mesmo momento, as flores desabrocharam, exalando uma doce fragrância. Jardim de Lumbini, na Índia. A rainha Maia, segurando-se num tronco de árvore, deu à luz aquele que seria chamado de a Luz do Mundo.

Há quem diga que o chá faz curar dores e males do corpo, do espírito, da mente e do vazio. É o chá da salvação, da libertação, da travessia. Chá de Buda Iluminado, protetor de toda a vida. Nós, que praticamos o *zazen* da Mahayana, sabemos que a grande cura vem da compreensão do que são nossos problemas, de perceber de onde vêm as alegrias, sobre como funcionam a mente, o corpo e as leis – não as leis humanas, mas a Grande Lei do *Darma*. É nessa que precisamos penetrar.

Vesak

Os grupos budistas não japoneses comemoram o Festival de Vesak, no qual celebram o nascimento, a Iluminação e o *Parinirvana* de Buda, na lua cheia do quinto mês. Neste ano aconteceu no domingo, dia 15 de maio. Buda, como mãe de todos os seres, nutre, dá vida, sabedoria, compreensão, *anokutara sammyaku sambodai* (a grande Sabedoria Suprema).

Natureza Buda

A natureza Buda, como escreveu nosso fundador, mestre Eihei Dogen (1200–1253), é verbo a ser conjugado no presente e no passado perfeito e imperfeito, futuro mais-que-perfeito, futuro simples, subjuntivo – a natureza Buda, que se manifesta em miríades de *Darmas*, é o próprio *Darma.*

Analogias antigas para facilitar o entendimento da vida. Oceano é água, ondas e marolas são água... Onde começa? Onde termina? No céu, na chuva, na terra, no poço, no rio, na fonte, na montanha, na árvore, no sangue que corre e escorre da seiva do pau-brasil?

Arara canta meu nome e o leva até o fim do mundo. Lá o guarda, para que eu possa ser livre de nome e de fama, de riqueza e de pobreza, de querer e de não querer.

Se puder olhar para o céu, ver a lua e as estrelas, o sol, as nuvens, os pássaros, os aviões e as borboletas; se puder ouvir o pouso dos pássaros nas avenidas, das aranhas as teias, das crianças as vozes, dos amantes os sussurros, dos famintos os urros, dos tristes os lamentos, dos felizes as alegrias; se puder sentir, perceber, compreender; se puder viver apenas o momento e servir de ouvidos, de olhos e de sentidos, de esperança e de paz, isso me basta.

Se puder transmitir o *Darma*, a Verdade, a quem se comprometa a mantê-la e transmiti-la, terei atingido minha meta.

Se pudermos transformar uma cultura de violência e luxúria em uma cultura de paz e ternura, ficaremos todos muito felizes.

Em junho começa o frio. Nos esquentemos nas fogueiras acesas dos corações que não se cansam de bater.

Continuum da existência. Começa? Tem fim?

Tom. Tom. Tom.

Ritmo da Vida em vida. Do *Darma* nos *Darmas*. De Buda a budas. Do Bem aos bens.

– Monja Coen

Ano 4 • nº 15

Julho/agosto/setembro de 2005

Memoriais

Inverno também é tempo de relembrar. Memórias de alegrias e de tristezas.

Memórias de gratidão e respeito aos nossos fundadores no Japão, mestre Dogen e mestre Keizan, que faleceram ambos no dia 29 de setembro. É a cerimônia chamada de Ryô Sô Ki. Lembramos também os sessenta anos do lançamento das bombas atômicas que devastaram Hiroshima e Nagasaki, em agosto, e de nosso propósito de criar culturas de paz, não violência ativa, justiça, cura e prevenção, por meio de nossos comprometimentos nas práticas de *não saber*, de *testemunhar* e de *ação amorosa*.

Não saber é manter a mente aberta a todas as possibilidades. A mente de *zazen*.

Testemunhar é manter o coração aberto e sensível às alegrias e dores do mundo. O coração de *zazen*.

Ação amorosa é usar todos os ingredientes de nossas vidas para transformar, cuidar, curar e prevenir. Ação zen.

Também faremos serviços memoriais por todos os que já morreram. Pelos que padeceram nas guerras, nas violências, nas fomes, nas misérias, nas doenças e nos acidentes. Pelos que se foram, em mortes naturais tranquilas ou sofridas.

Parentes, amigos, vizinhos, estranhos, pessoas próximas e distantes. A todos homenagearemos com a oferta de alimentos (*sejiki-e*) na Cerimônia de Obon, em julho e em agosto, e na Cerimônia de Ohigan-e, em setembro.

Essa tradição surgiu na época de Xaquiamuni Buda, quando seu discípulo de poderes paranormais observou sua falecida mãe sofrendo muito, incapaz de receber suas ofertas de alimentos e água.

Xaquiamuni Buda sugeriu uma grande oferta de alimentos ao fim dos três meses das práticas monásticas, que coincidiam com a época das chuvas na Índia. Naquela época, todos os monásticos eram nômades. Apenas praticavam em local fechado durante os três meses de chuvas.

Depois das preces com monásticos, leigos, leigas e pessoas de todas as partes que trouxeram ofertas e pedidos, o monge de poderes paranormais viu que sua mãe estava feliz e satisfeita, tendo se elevado espiritualmente.

Essa cerimônia de ofertas de alimentos a todos os seres, *sejiki-e*, também é celebrada em setembro, no equinócio de primavera. A celebração dos equinócios, tanto o de primavera como o de outono, são chamadas O-higan-e.

O-higan, ou *haramita* ou *paramita*, são formas diferentes para a mesma palavra, que significa *chegar à outra margem*, *completar*, *perfeição* ou *realização perfeita*.

Há seis aspectos de prática correta, que são as Seis Perfeições, Seis Compleições ou Seis *Paramitas*, partes do Budismo Mahayana (Grande Veículo, no qual está inserida a tradição Soto Zen).

Buda disse:

“Se quiser chegar à margem da segurança, bem-estar, coragem, sabedoria, ausência de raiva e rancor, compreensão, compaixão, tranquilidade e contentamento, precisará fazer um esforço equivalente a remar ou nadar.”

Nada se consegue sem esforço e perseverança. As Seis *Paramitas* são os pontos principais e gerais sobre os quais devemos nos esforçar.

Dana Paramita é doação, generosidade, ofertas tanto materiais como não materiais.

Shila Paramita são os preceitos, a conduta ética que respeita todas as formas de vida.

Kshanti Paramita é a paciência, capacidade de esperar as condições propícias, de acolher e transformar as dores e dificuldades em prática do Caminho.

Virya Paramita é o esforço constante, a prática permanente, plenitude de energia vital, perseverança.

Dhyana Paramita é a meditação que leva à outra margem.

Prajna Paramita é a Sabedoria Suprema, a compreensão superior.

As Seis Perfeições se interlaçam de tal modo que em uma estão contidas todas as outras. Fazer de nossa vida a prática dessas perfeições é alcançar o Caminho, chegar à margem da liberdade, da harmonia e dos bons relacionamentos.

Nos serviços memoriais dos equinócios – quando dia e noite têm a mesma duração e a terra pura do Oeste fica mais próxima e mais tangível –, invocamos *prajna paramita*, para que todos os nossos conhecidos, parentes e amigos, bem como aqueles que não conhecemos e faleceram, tanto em tranquilidade como em sofrimento (como vítimas de cataclismos, guerras, fomes, acidentes, desastres, crimes), possam alcançar a margem da sabedoria e da paz.

Invocamos todos os espíritos de todos os mundos para que recebam nossas ofertas e se elevem a planos superiores de existência, onde há a verdadeira satisfação, proveniente da Sabedoria Suprema.

E lembremos que nós também precisamos alcançar a margem, atravessar o oceano da vida e da morte com sabedoria e compaixão, fazendo comprometimentos de prática de *zazen*, de estudos e de trabalho. Seguir os ensinamentos de Buda por meio de nossos fundadores, mestre Dogen e mestre Keizan, sem nos esquecer da primeira monja histórica, Mahaprajapati Daioshô, e de todas as monjas e mulheres leigas de linhagens cujos nomes não foram escritos ou foram esquecidos.

Que todos possamos alcançar o Caminho Iluminado.

– ***Monja Coen***

Dogen Zenji – 1200–1253[1]

“Na folha e na grama
Esperando o sol da manhã
O orvalho rapidamente derrete
Não tema o vento de outono
Que agora varre os campos.

A que devo comparar
O mundo e a vida humana?
Ah! A sombra da lua,
Quando toca uma gota de orvalho,
O bico da água-ave.”

– *Mestre Dogen*

1. Lê-se Dooguen Zenji.

Fundador da tradição Soto Shu do zen-budismo no Japão, Dogen Zenji recebeu os títulos de Eminente Fundador e Grande Mestre (*Kôso Daishi*). Teve sua experiência iluminada na China, onde praticava em Tendo Zan. Quando o monge ao seu lado cochilou em *zazen*, o mestre Tendo Nyojo Zenji o admoestou dizendo: "*Zazen* é abandonar corpo e mente. Como pode estar dormindo?".

Ao ouvir essas palavras, o jovem Dogen, que havia anos praticava e procurava o verdadeiro significado dos ensinamentos de Buda, teve uma experiência preciosa. Ao terminar o período de *zazen*, dirigiu-se aos aposentos do mestre, ofereceu incenso e se reverenciou formalmente dizendo: "Corpo e mente abandonados (*Shin jin datsu raku*)".

O mestre autenticou a transmissão do *Darma*, e mestre Dogen voltou ao Japão, dando início à tradição Soto. Construiu o mosteiro-sede de Eiheiji, na província de Fukui. Deixou inúmeros discípulos e discípulas, monásticos e leigos. Seus escritos sagrados até hoje são base de estudos para todas as pessoas afiliadas à Soto Zen, bem como para filósofos, escritores, poetas, religiosos e estudiosos de várias áreas em todo o mundo. Há um compêndio principal chamado *Shobogenzo*, além de outros ensinamentos, regras monásticas e poemas.

Mestre Keizan Jôkin Zenji – 1268–1325[2]

> "Carpi e plantei o chão descansado. Muitas vezes vendi e comprei de novo. Sementes e mudas floresceram sem limite. Na plataforma do *Darma* pode ser visto um ser humano com uma enxada."
>
> – *Mestre Keizan*

2. Lê-se Keizan Jooquin Zenji.

Mestre Keizan teve toda sua formação monástica no Japão. Nunca viajou a outros países. Sua mãe era grande devota de Kannon Bodisatva e o incentivou a entrar para o mosteiro de Eiheiji aos oito anos de idade.

Nascido quinze anos após a morte de mestre Dogen, estudou com seus sucessores diretos e, certo dia, durante a palestra de um de seus mestres, manifestou claramente sua compreensão iluminada ao ouvir: "A mente comum é o Caminho (*Byô Shin kore Dô*)".

Recebeu a transmissão do *Darma* e foi o responsável pelo grande crescimento da ordem Soto por meio de sucessivas gerações de discípulos extraordinários e da fundação de templos e mosteiros por todo o Japão. Reconhecido como fundador da tradição Soto do zen-budismo no Japão, recebeu o título imperial de *Taiso Daishi* (Grande Fundador e Grande Mestre)

Construiu e restabeleceu a essência dos ensinamentos zen-budistas no templo Yokoji, em Noto, e, mais tarde, no mosteiro Sojiji, que atualmente fica em Yokohama e é um dos maiores centros de treinamento de monges do Japão. Entre seus escritos importantes está o *Denkoroku – Anais da Transmissão da Luz*. Há outros textos de grandes ensinamentos, procedimentos monásticos, liturgia e sobre a prática de *zazen*.

Ryô Só Ki

Dia 28 de setembro (quarta-feira), 20h.

Taiá (Prece de abertura do Memorial para os Fundadores e oferta de água doce).

Dia 29 de setembro (quinta-feira), 8h.

Ryô Só Ki (Reverências, ofertas de água doce, alimentos, doces, chá, leitura de sutras, luz de vela, flores e incenso).

Memorial dos Dois Fundadores

É a celebração anual em memória de mestre Dogen Zenji e mestre Keizan Zenji, uma das mais importantes cerimônias religiosas da tradição Soto Shu. Convidamos todos a essa cerimônia de agradecimento e respeito aos monges fundadores da tradição Soto no Japão, que nos encorajam a persistir na prática do Caminho de Buda através do *zazen*, dos estudos e do trabalho. Que todos os seres se beneficiem.

Jizo Bosatsu

Jizo Bosatsu (em sânscrito *Ksitigarbha* ou *Kshitigarbha – o útero da Terra*) é o bodisatva a quem Xaquiamuni Buda concedeu a tarefa de salvar todos os seres depois de sua morte até a chegada de Miroku Bosatsu, que, segundo a tradição, fará seu advento como o futuro Buda 5,67 bilhões de anos depois da morte de Xaquiamuni.

Na mitologia indiana, Ksitigarbha (Jizo) era uma divindade protetora da terra. Na China, passa a ser representado como bodisatva.

Representado pela figura de um monge budista com um cajado na mão e uma joia na outra, é considerado protetor da terra, das crianças e dos decaídos.

Tornou-se um dos mais populares bodisatvas do Japão. Seu voto de ajudar a todos os seres em sofrimento fez dele objeto de veneração popular a partir do período Heian (794-1185).

Graças ao sincretismo religioso, é confundido com divindades nativas, salvadoras de crianças e seres que sofrem no inferno.

As imagens de Jizo Bosatsu são colocadas nas estradas, nos locais de acidentes fatais, nos cemitérios e em vários pequenos templos e capelas dedicados à vida líquida – os fetos abortados, que em japonês são chamados de *mizuko* – (criança da água).

Jizo Bosatsu é muitas vezes confundido no Japão com Dozojin, o protetor de vilas, regiões e estradas, também conhecido como *Sai no kami*, antiga designação que sugere a função de afastar ou espantar os espíritos do mal. Identificado com o deus Saruda hiko, que guiou o suposto ancestral da linha imperial japonesa quando este desceu à Terra. É também o deus do nascimento, do casamento e de outras áreas de conhecimento.

Alguns templos colocam na entrada de seus cemitérios seis imagens de Jizo Bosatsu. Cada uma delas carrega um instrumento diferente: o cajado, a pedra da cura, o rosário budista (*juzu*), o incenso, as flores, ou tem as mãos palma com palma (*Gassho*).

Os ensinamentos budistas revelam que Jizo Bosatsu se manifesta em cada um dos seis mundos: celestiais, humanos, animais, guerreiros, insaciáveis e infernais, com o único propósito de salvar todos os seres e elevá-los a níveis superiores.

On w aka ka bi san ma e so w aka.

– Monja Coen

Ano 4 • nº 16

Outubro/novembro/dezembro de 2005

Sangha Sangam Sanga

A comunidade de praticantes budistas

> *Namu Ki E So*. Retorno e me abrigo na *Sanga*.

Retornar e se abrigar. Onde e com quem nos sentimos abrigados, protegidos? O que é a *Sanga?* O que é uma comunidade em harmonia?

Vamos primeiro entender esse retorno e abrigo. Mestre Dogen explicou a expressão *Ki E*, que significa *voltar*, *retornar* e *atirar-se em*, fazendo uma analogia com uma criança que se atira, sem medo algum, de um lugar alto nos braços de alguém em quem confia plenamente. Entregar-se sem reservas aos bons amigos e amigas que compartilham a mesma alegria em ouvir os ensinamentos do *Darma*, em encontrar Buda em suas vidas.

Isso nem sempre é fácil. Julgamos e condenamos os outros sem sequer ouvi-los, sem vê-los com clareza, sem compreendê-los. Estamos sempre nos colocando como seres perfeitos e os outros como imperfeitos. A alguns criticamos e invejamos. Sentimos ciúme e aversão. Por outros, sentimos atração e apego. Desse modo, não somos capazes de conhecer as pessoas com quem compartilhamos a prática do Caminho de Buda.

Que lastimável!

Alguns traduzem *Ki E* como *refugiar-se*. Encontrar refúgio, guarida. Falamos de refugiados de guerra, refugiados políticos que pedem asilo. Talvez pudéssemos entender a *Sanga* como um grande asilo para os desterrados de uma cultura de violência, abuso, desrespeito. Na comunidade deveríamos encontrar nossos pares, com quem compartilhamos os mesmos objetivos e ideais, com quem compartilhamos o incenso, as velas, as flores, a água, o ar, os alimentos, os ensinamentos e o propósito de seguir os preceitos e os sutras, criando harmonia e respeito em toda parte, cuidando de todos os seres. É com a *Sanga* que praticamos *zazen*. Existe algo mais íntimo e mais sagrado do que sentar-se em *zazen* lado a lado?

Mestre Eihei Dogen escreveu:

> Na *Sanga*, devemos considerar uns aos outros como nossos pais, filhos, parentes, professores e bons amigos. Com afeição mútua cuidamos uns dos outros. Se por acaso achar isso difícil, coloque uma expressão de harmonia e acomodação em seu rosto. Se houver algum erro, corrija. Se houver alguma instrução, siga.
> Será que não são essas as grandes vantagens das relações íntimas? Crianças da família de Buda devem estar mais próximas umas das outras do que de si mesmas.

Um antigo monge disse: "Se estamos juntos num mesmo barco, isso se deve a relações de vidas anteriores. Será que não temos conexões mais antigas por estarmos praticando na mesma *Sanga*?".

A *Sanga* é feita de praticantes sinceros, e assim deve ser mantida. Algumas pessoas na *Sanga* cooperam não só no *samu* ou no *zazen*, mas gostam de brincar juntas ou beber juntas. Essas coisas não são erradas por si mesmas, mas é preciso ter cuidado para não cooperar apenas na diversão. Há pessoas na comunidade fazendo *samu* nas manhãs de sábado e de domingo, muitas vezes sem ninguém para auxiliá-las. Isso está certo? Outras pessoas querem praticar a sós e evitam o trabalho comunitário, o *zazen* em grupo e até mesmo a diversão comunitária. Essa não é a prática correta.

É importante também a comensalidade. Comer juntos, compartilhando e servindo, quer durante os retiros, quer durante as refeições da manhã ou do Pipoca *Darma*. Participar dos retiros (*sesshins*), *samu*, auxiliar nas práticas, no monitoramento, fazer trabalho voluntário na comunidade, compartilhando tempo, habilidades e criando relacionamentos harmoniosos. Esse é o Caminho de Buda.

Não é um caminho individual e solitário, mas comunitário. Por isso, Buda disse que são Três Tesouros. Não apenas Buda e *Darma*, mas a joia preciosa da *Sanga*, que nos fortalece e nos permite ver a nós mesmos. Quando encontramos um obstáculo nos relacionamentos, devemos penetrar seu sentido, não nos afastar. Cada obstáculo é um portal de crescimento, amadurecimento e aprofundamento na prática.

Cada um de nós vem e traz seu pequeno corpo e mente para fazermos esforços juntos, como pequenos pedaços de carvão. Sawaki Kodo Roshi dizia que se colocarmos apenas um carvão e acendermos o fogo, ele logo se extinguirá. Se colocarmos muitos pedaços de carvão e adicionarmos outros, o fogo permanecerá aceso para sempre. Esse é nosso objetivo.

Que nossa *Sanga* seja capaz de trabalhar em harmonia e respeito, evitando falar dos erros alheios, evitando elevar-se e rebaixar os outros, mas procurando o melhor em cada um para cooperar, cuidar e desenvolver as habilidades de receber e de celebrar a vida comunitária, que compartilha e acolhe com ternura e sabedoria plena de compaixão.

Agradeço aqui a todos os membros praticantes que têm servido na diretoria e em posições auxiliares de administração, monitoramento e criatividade. Espero que os novos eleitos na Assembleia Geral Ordinária de 19 de novembro possam continuar nos auxiliando no fortalecimento de uma *Sanga* saudável e forte.

Gassho.

– ***Monja Coen***

A Prática-Círculo e a harmonia da *Sanga*

A Prática-Círculo foi introduzida no Centro Zen de Los Angeles (ZCLA) para contrabalançar a forte estrutura vertical da prática que lá havia e para fortalecer as relações horizontais na *Sanga*. A monja Isshin, da nossa Comunidade Zen Budista Zendo Brasil, vivenciou e treinou essa prática com a comunidade do ZCLA e, agora, junto com Coen Sensei, é responsável pela introdução da Prática-Círculo na comunidade por meio dos eventos da Roda do *Darma*.

Os Três Tesouros são os alicerces da Prática-Círculo: 1) a unidade de Buda; 2) a diversidade do *Darma*; 3) a harmonia da S*anga*. No entanto, ninguém precisa saber nada disso para experimentar os benefícios da Prática-Círculo. O círculo é por si só o que nos permite estar no momento, nos manifestando assim como somos na verdade do momento.

Na Prática-Círculo, a **unidade de Buda** é o ensinamento do *não saber*, que significa que, nessa esfera de equidade ou igualdade, não reconhecemos quaisquer diferenças. Não saber se manifesta como a abertura para o que quer que surja, e tudo o que surgir se dissolve novamente no não saber. É a perspectiva da equanimidade e da tolerância, a mais ampla de todas as perspectivas.

A maioria das pessoas tem uma preconcepção do saber, mantendo alguma ideia sobre si mesmas ou sobre uma situação. Certa ocasião, Egyoku Roshi liderou um círculo para uma *Sanga* a fim de discutir os problemas que estavam enfrentando. Por fim, uma pessoa disse: "Eu vim achando que sabia o que estava errado e o que precisaria ser feito, mas na verdade acabei percebendo que sabia muito pouco e que todos têm opiniões tão valiosas quanto as minhas".

O segundo tesouro, a **diversidade do *Darma***, é o ensinamento de *testemunhar*. Isso é fisicamente representado pelos participantes que se sentam no círculo, onde cada um deve ser capaz de ver todos os outros. Ao testemunhar, honramos as diferenças que surgem da unidade, permitindo que qualquer coisa que se manifeste esteja presente. Cada pessoa no círculo se manifesta de maneira diferente, e o modo como nos relacionamos com essas diferenças se torna o foco do aprendizado.

As práticas de testemunhar são: a palavra correta, a escuta correta e o silêncio correto. Ao falar, praticamos falar com uma postura de integridade e praticamos falar a verdade assim como a sabemos. Nos mantemos focados em nossa própria experiência, em vez de falar sobre os outros ou de maneira abstrata. Ao ouvir, tentamos não interromper, nem mesmo com nossos pensamentos. Praticamos receber o que nos for oferecido por outra pessoa, sem apegos ou julgamentos. Em silêncio, permitimos que todas as coisas surjam e passem, aceitando e honrando diferentes expressões e perspectivas. Nos sentamos com nosso desconforto.

O terceiro tesouro é a **harmonia da *Sanga***. Este é o ensinamento do "Assim Como É", a completa mistura da igualdade e da diversidade. Para muitas pessoas, um sentimento de bem-estar ou cura naturalmente surge do próprio círculo. Há espaço para emergir nossa própria verdade e a verdade dos outros. Não tentamos fixar as coisas, manipular as situações ou competir. Não estamos apegados ao resultado, permitimos que todas as coisas sejam a manifestação da unidade e da diversidade.

Os círculos são conduzidos por dois facilitadores, que trabalham em parceria. Eles garantem uma clara abertura e fechamento do círculo e também seu funcionamento. Ao mesmo tempo, são também participantes, testemunhando e compartilhando com todos os demais. O tema de cada Prática-Círculo é dado pelos facilitadores.

Os temas surgem dos ensinamentos e das necessidades da *Sanga*. Já houve círculos que incluíram os preceitos, o compartilhar de grandes e pequenas perdas, a prática dos Doze Passos relacionada à prática zen, ao trabalho e a outras questões da prática da vida. Há também no ZCLA Círculos-Família, em que pais e filhos sentam-se e compartilham em conjunto.

A prática nos leva a sair de nossos modos habituais de nos relacionarmos, a explorar novas possibilidades de dissolver fronteiras entre nós mesmos e os outros. Por meio dessa prática podemos sair de nossa absorção autocentrada para uma consciência mais centrada na *Sanga*, chegando enfim ao não saber. Muitos de nós estão descobrindo um sentido mais profundo de comunidade e de comum-identidade. O potencial da Prática-Círculo e da *Sanga* ainda está para ser realizado em sua completude.[3]

Votos dos Fazedores da Paz para o dia de reflexão

Estes são os votos dos fazedores da paz recitados pelos membros da Ordem dos Fazedores da Paz no Dia da Reflexão, que é celebrado no quarto sábado de cada mês.

Na manhã do Dia de Reflexão, recitamos os seguintes votos:

---

3. Adaptado de um artigo que se encontra na íntegra no site do ZCLA, em: http://www.zencenter.org/news/DharmaTalks/pcircles.htm.

Eu,____________, agora recito o Verso de Arrependimento. Todo carma prejudicial alguma vez cometido por mim, devido à minha ganância, raiva e ignorância, nascido de meu corpo, boca e mente, agora de tudo eu me arrependo.

Agora, consciente da pureza de meu corpo, boca e mente, me comprometo a observar este Dia de Reflexão com as seguintes práticas:

Eu, ____________, pelo período deste dia, retorno e me abrigo em Buda, a natureza desperta de todos os seres; no *Darma*, oceano de sabedoria e compaixão, e na *Sanga*, a comunidade daqueles que vivem em harmonia com todos os budas e *Darmas*. Eu, ____________, pelo período deste dia, me comprometo a não saber, a fonte de todas as manifestações, e a ver todas as manifestações como ensinamentos do não saber; e também me comprometo a testemunhar, permitindo-me ser tocado pelas alegrias e dores do universo; convido todos os espíritos famintos a entrarem na mandala do meu ser e dedico toda minha energia e amor à cura de mim mesmo, da terra, da humanidade e de tudo que existe.

1. Como fazedores da paz, através do espaço e do tempo, têm observado o preceito de não matar; não levando uma vida prejudicial nem encorajando outros a fazê-lo, eu, __________, com gratidão, pela duração de um dia, reconheço que não estou separado de tudo que é. Viverei em harmonia com tudo que vive e o entorno que o sustenta.
2. Como fazedores da paz, através do espaço e do tempo, têm observado o preceito de não roubar, eu, ____________, com contentamento, pela duração de um dia, estarei satisfeito com o que tenho, e livremente darei, pedirei e aceitarei o que é necessário.

3. Como fazedores da paz, através do espaço e do tempo, têm observado o preceito de uma conduta casta, eu, ______, com amor, pela duração de um dia, encontrarei tudo que existe com respeito e dignidade. Eu darei e aceitarei amor e alegria sem apego.
4. Como fazedores da paz, através do espaço e do tempo, têm observado o preceito de não mentir, dizendo a verdade e não enganando ninguém, eu, ____________, com honestidade, pela duração de um dia, escutarei e falarei a partir do coração. Verei e agirei de acordo com o que é.
5. Como fazedores da paz, através do espaço e do tempo, têm observado o preceito de não estarem deludidos, e tampouco encorajarem outros a fazê-lo, eu, ____________, com consciência, pela duração de um dia, cultivarei uma mente que vê claramente. Abraçarei diretamente tudo que experimentar.
6. Como fazedores da paz, através do espaço e do tempo, têm observado o preceito de não falar dos erros e falhas alheias, eu, ____________, com bondade, pela duração de um dia, aceitarei o que cada momento tem a oferecer. Assumirei a responsabilidade por todas as coisas na minha vida.
7. Como fazedores da paz, através do espaço e do tempo, têm observado o preceito de não elevar a si mesmos e rebaixar os outros, eu, ____________, com humildade, pela duração de um dia, direi o que percebo ser verdade sem culpa ou acusações. Darei o melhor de mim e aceitarei os resultados.
8. Como fazedores da paz, através do espaço e do tempo, têm observado o preceito de não serem avarentos, eu, _________, com generosidade, pela duração de um dia, usarei todos os ingredientes da minha vida. Não cultivarei uma mente de pobreza em mim mesmo e nos outros.

9. Como fazedores da paz, através do espaço e do tempo, têm observado o preceito de não ficar com raiva (ser movido pela raiva) e de não guardar ressentimento, ódio ou vingança, eu, ____________, com determinação, pela duração de um dia, transformarei sofrimento em sabedoria. Incluirei todas as experiências negativas em minha prática.
10. Como fazedores da paz, através do espaço e do tempo, têm observado o preceito de não pensar mal dos Três Tesouros, eu, ____________, com compaixão, pela duração de um dia, honrarei minha vida como um instrumento para fazer a paz. Reconhecerei a mim mesmo e os outros como manifestações da unidade, da diversidade e da harmonia.

Eu, ____________, me comprometo a esta prática de fazedor da paz pela duração de um dia. Que os méritos desta prática possam se estender a todos aqueles que dedicam suas vidas à prática da paz e a todos aqueles que sofrem devido à opressão de minha própria ganância, raiva e ignorância. Eu desejo transformar as paixões que me afligem e realizar e autenticar o Caminho Iluminado através da prática de não saber, testemunhar e curar.

– ***Monja Coen***

Ano 5 • nº 17

Janeiro/fevereiro/março de 2006

Ano Buda 2572

Quando a velha ameixeira desabrocha, o mundo inteiro desabrocha.

Quando o mundo desabrocha, a primavera chega.

As cinco pétalas desabrocham com uma só flor – três, quatro, cinco, cem, mil, incontáveis flores desabrocham.

Todas essas flores crescem em um, dois, incontáveis galhos da velha ameixeira.

Uma flor udumbara e uma flor de lótus azul também desabrocham no mesmo galho.

Todas essas flores constituem as graças da antiga ameixeira.

Tal ameixeira antiga cobre os mundos humanos e celestiais. Esses mundos surgem da velha ameixeira.

Centenas de milhares de flores são as flores dos seres humanos e celestiais. Milhões de flores são as flores dos budas e ancestrais do *Darma*.

Quando essa espécie de ameixeira desabrocha, todas e todos os budas surgem neste mundo e BodiDarma se manifesta.

Que ameixeira antiga é essa? O universo inteiro contido em uma pétala suave, delicada, branca, macia, perfumada. Em cada pétala um universo completo.

Um novo ano se anuncia. Renovação da vida. O Ano-Novo era marcado pelo despertar da primavera depois das neves de inverno no hemisfério norte. Mantemos a tradição, embora estejamos aqui em meio ao verão, no qual cada raio de sol é o desabrochar da vida em sua plenitude de transformação contínua.

Rituais e datas são meios expedientes para nos lembrar de que cada instante é sagrado e jamais se repete. Como vivemos nossas vidas? Agradecemos cada experiência ou reclamamos incessantemente? O que fazemos em relação ao que nos indigna? Podemos transformar a raiva em ação amorosa, podemos compreender e agir com ternura, podemos nos tornar suaves e fortes, sem medo e sem obstáculos, percebendo em cada dificuldade um portal de entrada para essa pequena e sutil mudança que pode mudar toda a vida no planeta – a compaixão.

Se desvendarmos nosso olhar sagrado, que protege, guarda e mantém o *Darma* correto, poderemos sorrir o sorriso de Buda e reconhecer a nossa íntima irmandade com todos e todas as ancestrais do *Darma*.

A ameixeira desabrochando na neve é a manifestação da flor udumbara, escreve mestre Dogen:

> “Temos a oportunidade de ver o correto *Darma* em nossa vida diária, mas muitas vezes perdemos a oportunidade de sorrir e mostrar nossa compreensão.”

Na primeira transmissão histórica, Xaquiamuni Buda, em vez de falar para uma grande assembleia, manteve-se silencioso. Levantou a flor udumbara, piscou e sorriu.

A maioria nada entendeu, mas Makakasho, seu discípulo, olhou para o mestre e sorriu de volta. Então Buda disse:

– Eu pouso o Olho Tesouro do Correto *Darma* e a Maravilhosa Mente de *Nirvana* (*Shobogenzo Nehan Myoshin*) e agora os transmito a você, Makakasho.

O desabrochar da velha ameixeira, o renascer da vida em cada pequenina flor, é a transmissão do *Darma*. É a primavera. É o raio de sol de verão refletindo as folhas verdes como joias preciosas. É o novo ano, momento de transformação, época de transmissão.

Que possamos sorrir e compreender tanto o silêncio quanto a palavra.

Que possamos manifestar em nosso falar, em nosso agir e em nosso pensar a Verdade Perfeita que incansavelmente, explicitamente, nos mostra o Caminho Iluminado.

O Ano Buda de 2572 pode se tornar a flor udumbara, a flor de lótus da Lei Maravilhosa, a mente de tranquilidade sábia, o correto *Darma* se manifestando. Depende de cada um de nós.

Que possamos sentir a suave fragrância das delicadas pétalas em nossos gestos, pensamentos e palavras, e que nos renovemos por meio da ternura sábia, da compaixão infinita e da Sabedoria Suprema, abrindo nossas mentes e corações para o encontro, o compartilhamento e a capacidade de ouvir e falar a partir da grande intimidade com a essência da vida.

Gassho.

– Monja Coen

Ano 5 • nº 18

Abril/maio/junho de 2006

Sabedoria e compaixão

Buda significa *o ser humano que despertou, que está iluminado*. Buda é a própria Iluminação.

Iluminação é o mesmo que *Nirvana*, que é *paz* e *tranquilidade*. Elas são obtidas quando há sabedoria e compaixão.

Um dos selos do *Darma*, da Lei Verdade, é a origem dependente. Isto existe porque aquilo existe. Quando aquilo desaparece, isto desaparece.

Outro selo do *Darma* é a impermanência, a transitoriedade. Tudo está em um constante fluir. Esta folha de papel está fluindo, transformando-se a cada instante. Tudo está em movimento e nada se fixa permanentemente.

Assim verificamos o vazio de uma existência permanente, fixa e separada. Estamos em rede, a maravilhosa rede da vida.

Intersomos.

Interagindo, inter-relacionando. Eis a *Sanga*, a comunidade em harmonia.

Quando penetramos a grande harmonia, percebemos que tudo é como é – e que está bem assim.

Este instante é este instante.

Manifestação de Buda.

Manifestação do *Darma*.

Manifestação da S*anga*.

Sua santidade, o XIV Dalai Lama, visitou-nos em São Paulo. Ser humano inteligente e amoroso. Conseguiu nos incluir seu olhar, na sua ternura, com a simplicidade de apenas ser. Coçou o corpo, limpou os óculos, cruzou e descruzou as pernas, balançou o corpo, falou de mãos abertas e soltas. Em cada gesto, em cada olhar, um ensinamento de humilde simplicidade e profunda compreensão da vida e do ser humano.

Buda, *Darma* e S*anga* se manifestam em alegria e amorosidade. Suas palavras finais, no hotel, foram para que estudássemos o *Darma*.

Acolhendo seus ensinamentos, nossa proposta para este ano incluirá grupos interbudistas de estudo do *Darma*, de questionamento e procura, de encontro e aventura.

Que nossas *Sangas*, unidas na grande assembleia de discípulos e discípulas de Buda, possam penetrar o *Darma* incomparavelmente profundo e infinitamente sutil. Manifestando a Sabedoria Suprema – *Anokutara Sammyaku Sambodai* – e a infinita compaixão.

Budas e bodisatvas sempre protegem *Prajna*, a Sabedoria, e cuidam de todos os seres – compaixão.

Sua Santidade nos lembrou de que, quando praticamos a verdadeira compaixão, somos nós os beneficiados. Não a praticamos para os outros apenas, mas para nós mesmos.

Na grande rede da vida, fazer o bem a todos os seres inclui fazer o bem a sim mesmo. Não há nenhum traço de egoísmo nem de altruísmo. Nenhum traço de iluminação permanece.

Há o bem que se manifesta por meio da Sabedoria que nos irmana como espécie e que se revela no cuidado e no compartilhamento da identidade comum.

Investigando a mente, Buda, o *Darma*, a *Sanga* e os mestres, investigamos a nós mesmos.

Que o caminho esteja livre de apegos e de aversões, aberto à experiência sagrada do instante único e, por isso, eterno.

Inspirando e expirando compaixão e sabedoria para o bem de todos.

Que possamos cultivar, preservar, proteger e transmitir essa mente de compaixão sábia a todos os seres, das pequeninas criaturas aos grandes e poderosos.

Que possamos todos nos tornar o Caminho iluminado.

Gassho.

– Monja Coen

Ano 5 • nº 19

Dezembro de 2006

A pupila de Buda

Cada movimento, cada gesto, cada pensamento – a pupila do olho de Buda. Quando há luz, ela se fecha. Na escuridão, se abre.

Nossos pensamentos e ações fazem essa pupila se abrir e se fechar. Nossas palavras, gestos e intenções são de luz e sombra. Mas sempre envolvidas pela pupila de Buda.

No dia 1º de dezembro, nos mudamos de Pinheiros para o Pacaembu. O superior geral para a América do Sul, reverendo Dosho Taizan Saikawa Sookan Roshi, fez a abertura solene, orando e invocando as bênçãos da Sabedoria Suprema para a nova sede.

Aqui recomeçamos um novo capítulo de nossa curta e terna história. A casa que nos acolhe não é grande, mas as bênçãos recebidas são inumeráveis.

Tantas pessoas fizeram e continuam nos fazendo doações, que é quase impossível expressar nossa gratidão.

Quando nós, monges e monjas, fazemos *takuhatsu* – a mendicância em vias públicas –, ao recebermos uma doação entoamos uma prece de agradecimento, que se traduz mais ou menos assim:

> “Méritos infinitos na *paramita* da doação. Dar e receber assim se completam. A doação, o que é doado e quem recebe não existem por si sós. E são todos de igual valia.”

Paramita significa *completar*, *terminar*, *alcançar o objetivo*, *chegar à outra margem*, *ir da dificuldade para a solução*, *da ansiedade para a tranquilidade*. *Dana*, ou *doação*, é doar *coisas materiais*, doar *ternura*, doar *afeto*, doar *trabalho*, doar *momentos da vida*. Esse *paramita* é a atividade social de compartilhamento, cuidado, entre o *eu* e o outro. Entretanto, percebemos que o outro é um aspecto de nós mesmos e, dentro da compreensão superior, todos estamos interligados. Só é possível dar, compartilhar, cuidar e amar se houver alguém ou alguma coisa para se dar, cuidar e compartilhar no amor incondicional de Buda. Pupila de seu olhar.

A mudança foi difícil, levou muitos meses, quase um ano. As reformas na casa ficaram a cargo de Wahô (Sandra Degenstein), com o apide de Reihô (Reinald). O paisagismo é de Dôrin (Oscar Bressane), com bambu e várias pedras doadas e colocadas por Maurício Fujimoto. O toro (lanterna japonesa grande do jardim dos fundos) foi uma doação especial de Endo (Haruno Ito), e a pequenina lanterna da frente é de Maurício Fujimoto, que também doou, junto com a arquiteta Shoen (Flávia M. Suzuki), o telhado do terraço dos fundos. Todos os arquitetos fizeram de seu trabalho uma doação à comunidade. Infinita gratidão.

Agradecemos especialmente ao reverendo Shôzen Sato Roshi, do templo Daishoji, em Saporo, Shiroishiku, Hokkaido, Japão, pelo *kenchato* usado para fazer oferendas no altar principal.

E a todos que participaram dos mutirões de limpeza, mudança e adaptação. Aos cães Musashi, Tora Hime e Endora, que sofreram com as mudanças e estão se adaptando aos portões e restrições necessárias para nossa prática – eterna gratidão.

Agradecemos aos que vieram conosco celebrar nossa abertura no dia 1º de dezembro, especialmente ao rabino Alexandre Leono e sua esposa – confirmando nossa vocação inter-religiosa –, e à professora Valquíria Leitão, da nossa ligação profunda com o ioga.

Agradeço também aos que fizeram conosco o Rohatsu Sesshin, que marcou oficialmente a abertura do Tenzui Zendo ao casamento de Djin Sganzerla e André Guerreiro Lopes, e a todos que frequentam nossa comunidade, dando vida à Buda em nossas vidas.

Esperamos poder recebê-los aqui de maneira mais adequada e alegre, para que nos aprofundemos no *Darma* e nos realizemos em Buda.

Tudo ocorreu, ocorre e ocorrerá na pupila de Buda.

Gassho.

– Monja Coen

Ano 6 • nº 20

Abril/maio/junho 2007

Mãe

A mãe de todos os budas é *Prajna Paramita*
A mãe de todos os budas são os preceitos.
A mãe de todos os budas são todos os budas.

Mahaprajapati Daishi.
Revelada mãe amada.
Que cuidou, nutriu, amou.
Ela o seguiu, convenceu, insistiu.
Monja se tornou.

E a Terra?
Mãe de todos.
Despertos e adormecidos
Cuida e refaz
A cada instante
Girando
Mãe Terra

Minha mãe
Sua Mãe
Nossa mãe do céu

E na Terra?
Mãe sem terra
Vazia a tigela de quem não soube plantar
Não plantou porque não tinha terra
Arado? Semente? Água?
Corrente.

Corrente coerente
Vida excludente
Inclui em sua ossada
Os ossos da magra mãe irada
Que devora os filhos da vizinha
Na fome que devora a certeza
De que tudo pode mudar

Mãe.
Sua Mãe.
Filha da Mãe.
Sem mãe.
Órfã coitada.
Mãe que rasteja na lama e sobe, sobe
Desabrocha em pureza
Imaculada

Tantas as mães e tantas as falas
Buda permite ficar ao seu lado

No fim
Final de mãos dadas

Mãe visitando filho no abrigo
Mãe visitando filha na escola
Mãe visitando no hospital, no presídio
Mãe que abandona, foge e não fica
Mãe que desencanta
Mãe que vende filhos

Há tantas mães.
Mãe de todos os budas é *Prajna Paramita* – a Sabedoria Superior, que nos leva daqui para lá ou de lá para cá – depende de onde você está.
Para a Terra Pura
Para o *Nirvana*
Para a ternura de mais um instante
Repousa mãe amada
Repousa e se recosta
Nas costas rosadas
De seu bebê
Percebe que é ele
Que faz você.
Manhê.

Honra Suprema a *Prajna Paramita* – mãe de todas e todos os budas
Honra Suprema aos Preceitos Buda – de onde surgem todas e todos os budas
Honra Suprema à nossa Mãe Comum – Terra
Gassho.

– *Monja Coen*

Ano 6 • nº 21

Julho/agosto/setembro 2007

Anciã zen

Mestre Eihei Dogen (1200–1253), em suas recomendações para o monge ou monja responsável pela cozinha do mosteiro (Tenzo Kyokun), escreve sobre três espécies de **coração-mente** necessárias para a prática do Caminho de Buda: a vasta, imensa, mente-coração; a mente-coração da alegria, do contentamento; e a mente-coração anciã, antiga, experiente, sábia.

Em maio, estive na Califórnia para participar das celebrações dos quarenta anos da fundação do Zen Center de Los Angeles e dos treze anos de falecimento de meu mestre de ordenação, Maezumi Roshi. Nessa ocasião, um de meus primeiros professores do *Darma*, Genpo Merzel Roshi, estava lançando um novo livro: *Grande mente, grande coração.*

O que Genpo Roshi desenvolveu em mais de 25 anos como professor do *Darma* está contido nesse livro – podemos penetrar a imensidão da mente, na qual está contida toda a vida do universo. E também temos de desenvolver um coração tão vasto quanto essa mente.

Um coração capaz de compreender, cuidar, sentir ternura e compaixão por toda a vida que há no cosmos. Só assim podemos acessar nosso verdadeiro *eu*, que deve ser livre de amarras, de apegos e de aversões. Ético e feliz, contente com as diversas experiências da vida. Um estado de contentamento presente inclusive nas dificuldades e nas dores.

Uma pessoa capaz de viver dessa maneira é alguém iluminado, sábio, bom, grande. Uma grande pessoa.

Mestre Dogen instruía os chefes de cozinha dos mosteiros a desenvolverem essa grande mente, capaz de aceitar todos os ingredientes e deles fazer o melhor possível.

Será que somos capazes de acolher tudo o que a vida nos traz e utilizar da melhor maneira possível, transformando sofrimentos, rancores e raivas em sabedoria e compaixão?

A mente de alegria ou contentamento, no ioga de Patanjili (codificador do ioga, contemporâneo de Xaquiamuni Buda), é chamada de *santosha*. Essa alegria é o que nos liberta e nos permite crescer em aprendizado e iluminação. Quem está sempre descontente, reclamando da vida, das pessoas, do mundo e de si mesmo cria um bloqueio para a própria realização da verdade e para a libertação do sofrimento.

A terceira mente é a da anciã. Mestre Dogen escreve sobre a importância de desenvolvermos a mente-coração da pessoa idosa, que aprecia a vida, que compreende, educa e orienta com ternura e leveza, sem pressa, mas com urgência.

No xamanismo, quando uma pessoa completa sessenta anos, fica muito feliz. Pode participar do Conselho dos Anciãos, que toma decisões e orienta toda a comunidade.

Assim, foi com grande alegria que recebi as homenagens do xamã Cyro Leão no dia de meu aniversário, tocando o tambor do coração e me congratulando por me tornar uma anciã.

Agradeço também a todos os que vieram me cumprimentar ou me enviaram mensagens de congratulações. Aos companheiros e companheiras da Iniciativa das Religiões Unidas, à professora de ioga

Walkíria Leitão, às pessoas que compartilham reflexões religiosas, práticas de *zazen*, estudos do *Darma* e curas medicinais. A Flávio de Souza Sensei, que trouxe a música e a dança de Okinawa; ao coral Zen e, especialmente, à Yone Dias Yamasaki, do restaurante Suruí, que nos ensinou e nos auxiliou no preparo da festa, emprestando-nos objetos e nos dedicando seu tempo precioso. Gratidão profunda.

E agora vocês terão de lidar com uma anciã zen muito contente, que procura desenvolver as três mentes para melhor cuidar da transmissão da mente única.

Isshin Denshin – uma só mente-coração, a mente-coração da transmissão.

Aprender é transmitir.

Que os ensinamentos de nossas ancestrais no Caminho de Buda possam continuar a beneficiar todos os seres.

De Buda a Buda.

Sorrindo.

Mãos em prece.

– Monja Coen
A nova anciã zen

Ano 6 • nº 22

Outubro/novembro/dezembro 2007

Sabedoria e compaixão

Invocando todos os budas e todas as budas.

Invocando todos os bodisatvas e todas as bodisatvas.

Através do Tempo.

Através do Espaço.

A Montanha da Luz Tranquila abriga o Templo Zen Seguidor da Imensidão do Céu.

Aqui estamos.

Instalados oficialmente por nosso superior geral para a América do Sul, reverendo Dosho Saikawa Sookan Roshi, com a presença do abade do templo de Kirigaya, em Tóquio, reverendo Junnyu Kuroda Roshi. Abençoados pela abadessa do templo Busshinji, do Zen Center of Los Angeles, reverenda Egyoku Nakao Roshi, e com a presença de monges e monjas dos Estados Unidos, da Europa, do Japão e do Brasil, abrimos os portais dessa montanha sagrada.

Que em cada passo possam todos que aqui adentram realizar a suprema sabedoria e a infinita compaixão dos seres iluminados e benfazejos.

Que a prática verdadeira se manifeste em cada gesto, olhar, atitude, palavra, pensamento.

Que nossas ações sejam plenas de sabedoria e compaixão.

Que saibamos cuidar uns dos outros, umas das outras.

Que saibamos respeitar a vida, limitada e ilimitada.

Gratidão profunda aos ancestrais genéticos e aos ancestrais da linhagem, a todos os que têm confiado em mim e tornado possível a existência desse nosso templo aqui em São Paulo.

Gratidão incomensurável a todos os mestres e a todas as mestras que me conduziram até aqui.

Koun Taizan Hakuyu Daioshô, Maezumi Roshi, fundador do Zen Center of Los Angeles e meu mestre de ordenação.

Aoyama Kakuzen Shundo Docho Roshi, abadessa do Mosteiro Feminino de Nagoya e do treinamento especial do Aichi Tokubetsu Nisodo, que guiou meus passos no caminho monástico, sorrindo com firmeza, falando com brandura e vivenciando os ensinamentos de Buda.

Zengetsu Suigan Daioshô, Yogo Roshi, de quem recebi a transmissão do *Darma*, certificando-me a ensinar e transmitir os ensinamentos de mestre Dogen, de mestre Keizan e de toda a linhagem Soto Shu.

Nosso logo está mudando, incluindo em alguns momentos os símbolos dos mosteiros-sede de Eiheiji e de Sojiji, que identificam internacionalmente a Soto Shu.

Nossa comunidade continua empenhada na prática de Buda.

O círculo perfeito do Zendo Brasil continua ativo.

Nosso propósito é o despertar para a mente iluminada, a mente Buda. Manter a prática correta, desenvolver e deixar brilhar a Sabedoria Suprema, *Anokutara Sammyaku Sambodai*, que só é possível se houver compaixão ilimitada, incondicional.

Unidos estamos todos nós na belíssima e intrincada trama da existência, neste cossurgir simultâneo e dependente no qual causa-condição-efeito cria o instante eterno e passageiro.

Assim, peço humildemente a todos os membros da Comunidade Zen Budista Zendo Brasil e a todas as pessoas que praticam no templo Tenzuizenji que renovem seus compromissos de prática. Que, inspirados pelos exemplos de Buda, possamos juntos reconstruir realidades plenas de ternura, respeito e cuidado.

Que os méritos se estendam a todos os seres
Que possamos todos nos tornar o
Caminho Iluminado.
Gassho.

– *Monja Coen*
Shin San Shiki – Cerimônia de Ascensão à Montanha

12 de outubro de 2007

Poemas de Coen Sensei feitos para a cerimônia

No transparente azul
do vazio céu
Brilha a Montanha da Paz
Abrem-se os portais
de Tenzui Zenji
Livremente
Entram e saem
Budas e bodisatvas

Namu Monjusri
Bodisatva
Zazen é a entrada
Da mente com a
própria mente
Penetrando todos os *Darmas*
Encontra o Grande Vazio
Samadhi Samadhi

Buda pratica Buda
Ancestral transmite
a ancestral
Beneficiando
abertamente
a todos os seres
A árvore da sabedoria
floresce

Protetores do templo
Guardiãs do *Darma*
Abençoem Tenzui Zenji
Removendo obstáculos
Abrindo caminhos
Libertando
Enriquecendo
Compartilhando
Terminando com a
fome e a miséria do mundo
Prática correta
Harmonia da *Sanga*

BodiDarma
Face a face
com o Grande Vazio
Abrem-se todas as
possibilidades
Atravessando mares
e montanhas
cai sete vezes

levanta-se oito
Transmitindo o
verdadeiro zen
"nada sagrado"

A perfeita comunhão entre
mestre e disciplina
continua
através de todos os
tempos
Aqui estou
ascendendo à montanha
demonstrando assim
minha eterna
gratidão

Comunidade zen-budista
Oficializa templo Tenzui
A montanha da tranquila Luz
Brilha serena
Construindo a paz

Selo que sela
e vela
revela
nossa intenção
símbolo da vida
ética
plena de compaixão
Manto da transmissão

de Xaquiamuni Buda
em sucessão direta
chega aqui
visto os ensinamentos
do Tatagata
Para salvar todos os seres

Grande Mestre Fundador
Xaquiamuni Buda
Primeira monja histórica
Mahaprajapati Daishi
Koso Joyo Daishi,
Eihei Dogen Daioshô
Taiso Josai Daishi,
Keizan Jokin Daioshô
reverentemente solicito
a todos e todas as budas
e ancestrais do *Darma*
que me protejam e guiem
nesta montanha sagrada

Koun Taizan Daioshô
Sua vida
Seus ensinamentos
Transmissão face a face
Zazen, *genjokoan*, Samadhi
Prática é existência
Como agradecer a
quem vive em mim?
Baigaku Junsuji Daioshô

Kakuzen Shundo Daioshô
Paciência
Perseverança
Prática contínua
Como agradecê-los
por tanta ternura,
compaixão e sabedoria?
sem discriminações
o *Darma* vivo é

Tesouro *Sanga*
Comunidade que
me ensina a
transmitir o *Darma*
joia de Buda
sem dentro nem fora
inclui e transparece
intersendo

Yogo Suigan Daioshô
Ah! Mestre dos mestres
Nyoze Nyoze
Sem excessos e sem faltas
Comprometo-me sempre
a transmitir o *Darma* Correto
e assim tornar eterna
a vida de Buda

– Monja Coen

Ano 7 • nº 23

Janeiro/fevereiro/março 2008

Shukke Tokudo

25 anos de ordenação monástica de Monja Coen

> “Entrar para a vida monástica é o verdadeiro *Darma*, é a excelente mente iluminada, a Suprema Sabedoria Bodhi (*anokutara sammyaku sambodai*) que todos os budas Ancestrais corretamente transmitem.”
>
> *Shobogenzo Shukke Kudoku*, de mestre zen Eihei Dogen (1200-1253)

Há 25 anos recebi os Preceitos Permanentes. Fiz o voto monástico (*Shukke Tokudo*) com Koun Taizan Hakuyu Daioshô (Maezumi Roshi) no Zen Center of Los Angeles, na Califórnia. Iniciei a caminhada com as orientações de Charlotte Joko Beck Roshi e de Genpo Merzel Roshi.

Durante oito anos pratiquei no mosteiro de Nagoya, onde recebi a doçura e a firmeza do *Darma* de Aoyama Shundo Docho Roshi.

Transmiti os Preceitos de Bodisatva a mais de cem pessoas leigas e os Preceitos Permanentes a oito monásticos (Enjo Stahel, Isshin Havens, Hoen Pitta, Joshin Bento, Dengaku Bandeira, Dorin Bressane, Waho Degenszajn e Zentchu Silva). No momento, preparam-se para receber os Preceitos Permanentes Shindo Esteves (dia 2 de fevereiro), Ryozan Testa, Heishin Gandra, Tannyo Vaz, Yuho Costa, Myogen Al'ban, Eishun Barbosa e várias outras pessoas.

Ainda estou apenas iniciando minha compreensão do *Darma* e dos ensinamentos de mestre Dogen Zenji.

Shukke significa *sair da casa*, *abandonar os valores mundanos* e *adentrar a grande família iluminada*. Tornar-se uma criança Buda na casa de Buda. *Tokudo* é o caminho dos méritos (*receber a emancipação*, literalmente).

As origens do zen monástico na China não foram ainda completamente esclarecidas. Segundo anais antigos, foi a partir do quarto e quinto sucessores de Bodai Daruma Daioshô (Daii Doshin Daioshô, 580–651; e Daiman Konin Daioshô, 601–674) que se estabeleceram as primeiras comunidades economicamente autossuficientes.

Não havia apoio governamental, como aconteceria mais tarde. Havia poucos contribuintes leigos. A vida de mendicância era impraticável na China – pelo clima, pela pobreza, pela falta de uma comunidade budista, pelos costumes locais.

Essas circunstâncias fizeram com que os mosteiros desenvolvessem atividades de subsistência: cultivar o solo, cortar madeira, carregar água – tudo o que seria considerado uma violação ao código clássico de Preceitos Monásticos.

"Um dia sem trabalho é um dia sem comer."[4]

4. Frase famosa de Pao-chang, autor na China do *Shingi* – *Regras Monásticas*, manual inspirador de mestre Dogen.

Desde o século 6, na China, os trabalhos manuais de manutenção do templo e de arrecadação de fundos são chamados *samu*. *Zazen*, estudos do *Darma* e liturgia são práticas tão importantes quanto *samu*.

Os monges e monjas de Tenzui Zenji, Comunidade Zen Budista Zendo Brasil, praticam *samu* diariamente, quer no templo ou fora dele. Alguns ajudam na limpeza, na faxina de altares, salas, banheiros, cozinhas, jardins, na organização administrativa, na divulgação de eventos e ensinamentos. Outros mantêm empregos ou atividades – de suas profissões anteriores aos votos – para angariar fundos à sua própria sobrevivência e à sobrevivência da comunidade.

Aqui no Brasil não praticamos mendicância nas ruas. Mestre Dogen Zenji, quando interrogado se um monge deveria pedir esmolas, respondeu:

> “Sim, deveria. Esse assunto, entretanto, deve levar em consideração o clima e os costumes do país. Sempre pense sobre o benefício de outros seres e sobre o desenvolvimento de sua própria prática. Caminhar por estradas encharcadas e lamacentas molha e suja os hábitos.
>
> Devido à pobreza das pessoas, a maneira prescrita de mendigar (de sete em sete casas) não pode ser praticada.
>
> Se assim o fizer, sua prática retrocederá e impedirá os benefícios dos outros seres. Se observar o costume do país e praticar o Caminho de maneira correta, pessoas de todos os níveis oferecerão doações irrestritamente e assim o bem-estar de si mesmo e dos outros se manifestará.
>
> Em relação a problemas como esses, sempre que for confrontado com circunstâncias e ocasiões particulares, pondere razoavelmente. Não se importe com o que os outros venham a pensar de você, esqueça seus ganhos pessoais e esforce-se por todos os meios a servir o Caminho, assim como a fazer o bem a todos os seres.”

(Zuimonki II-26)

Mestre Dogen Zenji, além de instruir minuciosa e detalhadamente sobre o comportamento adequado em cada atividade diária, instrui também sobre como pensar. Quebra estruturas inadequadas, simplistas, rebuscadas ou rígidas. Insiste que os monásticos mantenham um relacionamento de grande harmonia e respeito afetuoso. Enfatiza a unidade do *eu*-outro-tempo-natureza-mundo-universo-vida-morte.

Ao mestre Dogen Zenji e ao seu neto-sucessor, mestre Keizan Jokin Zenji, todos os dias reverencio. Gratidão profunda.

Agradeço os ensinamentos de Baigaku Junnyu Daioshô, do templo Kirigayaji, em Tóquio, e de Shozen Sato Daioshô, do templo Daishoji, em Sapporo. Agradeço os ensinamentos de todos os monges e monjas, mestres e mestras, leigos e leigas que me guiam e me inspiram a manter os preceitos e a praticar o zen.

Referencio, especialmente, a confiança de meu mestre de transmissão, Zengetsu Suigan Daioshô.

Reflexões de uma velha monja.

Mãos em prece.

– *Monja Coen*

Ano 7 • nº 24

Abril/maio/junho 2008

Mahaprajapati deve ter amamentado, educado, trocado fraldas e embalado o pequeno Buda.

Mãe de Buda. Mãe de criação. Mãe que formou a personalidade.

Maha significa *grande*.

Mestra de uma grande assembleia. Líder de um grande grupo ou grande líder de um grande grupo.

Esse é o significado de seu nome.

Mahaprajapati foi a primeira monja histórica.

A mãe biológica do Buda histórico, Xaquiamuni, foi a rainha Maia. Morreu uma semana depois do nascimento de seu primeiro e único filho.

A mãe espiritual de todos os budas é *Prajna – Sabedoria*.

A Grande Mãe, geradora de vida, incessantemente gerando, alimentando, nutrindo, protegendo, abençoando e dando liberdade para que cada pessoa encontre sua plenitude.

Na Índia, encontrei-me com a Grande Mãe do abraço, em Kerala. No *ashram*, com mais de três mil residentes, todos vestidos de branco, pude receber o abraço da Mãe – ama, mama. O arquétipo da Grande Mãe se manifestando naquela senhora macia. Empoderamento. Mães devem ser capazes de dar poder a seus filhos. Poder de decisão. Poder de escolha. O poder do amor incondicional.

Hoje, quando ficamos alarmadas e surpresas com inúmeras histórias de mães e pais que maltratam seus filhos – alguns os matam, outros os abandonam, estupram, vendem –, fico pensando na Grande Mãe. Teriam perdido o poder do amor? Teriam perdido o poder do bem? Em que espelho perderam suas faces?

Teria sido a dor, o abandono, os abusos, a loucura?

O que os fez assim tão maus?

A maldade embutida, enrustida, se revela e nos percebemos todos monstros frios, monstros quentes.

"Fiquei com a cabeça quente e matei o menino", disse um padrasto recentemente. Cabeça quente. Cabeça fria.

Perdeu a cabeça. Perdeu a razão. Perdeu a vida.

Quem mata, morre junto com quem morreu. Em cada morte, tantas mortes.

O famoso poema das esmolas: quem dá, quem recebe e o que é dado – os três são vazios de uma entidade fixa e os três estão inter-relacionados.

Tudo está interligado.

Grande Sabedoria Suprema.

Maha Prajna Paramita.

Invoco que a Grande Sabedoria Suprema nutra a todos nós, seres humanos.

Invoco que *Maha Prajna Paramita* seja nossa mãe verdadeira, iluminando a Terra com a capacidade de alcançarmos a Terra Pura.

Invoco que Mahaprajapati Gotami seja nossa mãe, nutrindo nossos pequenos anseios de ternura e cuidado com o leite da verdade e do bem.

Que nasçam todos e todas as budas. Que sejam nutridos.

Que cresçam fortes. Que governem o mundo.

Que a Terra fique repleta de seres sábios e iluminados.

Capazes da paciência e do amor incondicional.

Capazes de cuidar do ar e do vento, da terra e das ervas, da hera e das árvores imensas, do mar e dos rios, dos açudes e dos lagos. Para que não haja crianças jogadas fora.

Precisamos de cada uma e de todas elas. Nossas filhas e nossos filhos. Precisamos das crianças do mundo. Felizes, brincando, chorando, pedindo, errando, aprendendo, nos ensinando a ser criança de novo. Inocentes, descobrindo que vale a pena viver.

Minha homenagem a Isabella Nardoni. Princesa celestial.

Que esteja em paz. Que esteja tranquila. Onde ninguém mais a pode maltratar. Pequenina. Faltou-lhe um beijo, faltou-lhe um afago, um carinho terno que a pudesse ninar.

On ka ka kabi san ma e sowa ka.

Dharani de Jizo Bodisatva – prece mágica, mantra do protetor da Terra. Protetor das crianças, protetor dos mortos.

Abençoe e proteja nossa menina Isabella, símbolo de todas as crianças maltratadas, mortas, abusadas.

Para que possamos reaprender o amor e o cuidado.

Não chore mais, menina amada.

Agora nós todos a amamos e invocamos aos seres celestiais e benfazejos que a acolham em suas asas suaves e ternamente a transportem para a eterna idade. Sem dores e sem rancores.

Mãos em prece.

– Monja Coen

Ano 7 • nº 25

Julho/agosto/setembro 2008

Se um peixe tentar entrar na água, não encontrará a entrada.

Se um pássaro tentar entrar no céu, não encontrará o portal.

O portal sem portas, a entrada não entrada é a iluminação.

Peixe e água estão interdependentemente conectados.

Embora um não seja o outro, são a manifestação do cossurgir dependente e simultâneo de todas as coisas no universo.

Como pode um pássaro entrar no céu se já está no céu?

O céu é seu elemento. Por mais que voe, jamais sai do seu elemento. O pássaro é vida, o céu é vida, o peixe é vida, a água é vida.

Nós somos vida. Nós estamos em nosso elemento. Somos a vida da Terra. Não viemos de fora, não iremos para fora.

Não há dentro nem fora.

No inverno, o frio. O desabrochar da flor, a primavera. No verão, o calor, e no outono, a lua.

Sempre esse *cossurgir* interdependente e simultâneo.

A lei da origem dependente (*pratitya-samutpada*) é o núcleo dos ensinamentos. Xaquiamuni Buda disse:

> A pessoa que compreende o *Darma* compreende a origem dependente. A pessoa que compreende a origem dependente compreende o *Darma*.
>
> *(Mahahatthipadioama-sutta, Sutra do grande discurso do símile do pé do elefante)*

Quando as causas e as condições são adequadas, alguma coisa surge.

Quando as causas e as condições cessam, desaparece.

Assim é tudo no universo. Nossos corpos, nossas mentes.

Nossos relacionamentos, nossa sensibilidade, nossa compreensão. Não é maravilhoso? Cada instante, cada momento da existência, jamais se repete. Entretanto, há uma continuidade de instantes únicos. Causas, condições e efeitos cocriando a trama da vida.

A única permanência é a impermanência.

Nosso *eu* não é fixo. Somos um processo em transformação. Da menor partícula ao maior organismo estamos todos, incessantemente, nos transformando.

Em japonês há uma expressão, *aru iru mono wa, engi mujo de aru.* É preciso compreender que *mujo* (transitoriedade, não fixo, não permanente) está diretamente conectado com *engi* – a interdependência, a teia, rede de causas e condições, o *cossurgir* dependente e simultâneo – *pratitya samutpda.*

Neste ano celebramos os cem anos da imigração japonesa. São também os cem anos do budismo no Brasil.

Os japoneses foram os primeiros imigrantes que trouxeram altares familiares, as imagens budistas e a fé em Buda.

A educação baseada em valores éticos, o educar a essência do ser, a fibra (*kokoro o sodate iru*) são valores que aprendemos a admirar nos japoneses e nos seus descendentes. Esse desenvolvimento da sensibilidade a todas as formas de vida, a delicadeza e a sutileza no trato diário, chamada de educar o *kokoro*, é o mesmo que no budismo chamamos de Caminho do Bodisatva.

Bodisatvas surgem quando praticamos Buda.

Bodisatvas são sensíveis, gentis e seu único propósito é servir a todos os seres, auxiliando no processo da felicidade verdadeira por meio da compreensão de si e dos outros. Embora haja outros, outros não há. Cada um de nós é a vida do universo em manifestação. Como entrar na verdade se somos a verdade? Como o pássaro pode entrar no céu? Como o peixe entra na água?

Iluminados na iluminação, budas caminham como budas e praticam o *Darma* para o bem de toda a *Sanga*.

Criemos causas e condições propícias para que todos nos tornemos o Caminho Iluminado.

Mãos em prece.

– Monja Coen

Ano 7 • nº 26

Outubro/novembro/dezembro 2008

Tempo de time

Time no tempo

Sem tempo

Sem time

Uma comunidade religiosa é como um time.

Se não confiarmos uns nos outros, perderemos.

Perderemos o quê? Pontos, objetivos, projetos, sentidos.

Precisamos trabalhar juntos, praticar juntos, acreditar em nós, na vida, no zen.

Você acredita?

O que é zen?

O que é budismo?

Você é budista?

Quem pratica *zazen* é budista? Quem pratica como Buda é Buda?

O que é *zazen*?

Sentar-se em postura correta, respiração correta, mente correta? O que é correto? Permitir perceber-se?

Para que serve?

Será que é importante termos um local agradável para a prática comunitária zen-budista? Ou vamos nos sentar solitárias e solitários nos cantos de nossos encantos, encantados lares, lugares, bares?

Religião é como time de futebol?

Tem crença, rituais e precisa vestir a camisa?

Você veste a camisa do zen?

Qual é essa camisa?

É o *rakusu* – é o manto de cinco tiras, o manto de Buda?

Vestir o manto de Buda é participar com toda a *Sanga* da alegria do *Darma*.

Assim os Três Tesouros se manifestam em nossas vidas.

Eu, Monja Coen, acredito que *zazen* é transformação revolucionária engajada.

Parece um nada. Sentar-se em silêncio frente a uma parede branca.

Os quadros são nossos quadros mentais.

E o que é a mente?

Estudar o Caminho de Buda é estudar a vida humana e não humana.

Sem discriminações de párias e intocáveis. Não humanos são outras formas de vida, como as rochas e as árvores. Humanos são sempre humanos. Bons ou maus. Perversos ou ternos. Sinceros ou mascarados. Iluminados ou deludidos. Seres humanos.

Estudar a vida em vida, sendo vida.

Só vida.

Individual e coletiva.

Buda, *Darma*, *Sanga*.

A *Sanga* existe porque tem propósitos em comum.

Como um time de futebol – treinamos a mesma arte.

A arte da não dualidade. A arte do não saber.

A arte do silêncio e da palavra.

A arte de conhecer a mente pela mente.

Sujeito e objeto integrados.

Quem observa quem?

A *Sanga* de Buda pratica os ensinamentos de Buda.

Compartilha alimentos, momentos, meditações, orações, estudos, artes, liturgias, inspirações, sonhos e iluminações.

Agora a *Sanga* compartilha a tessitura deste nosso jornal.

Pequena obra conjunta expressando o *Darma* por muitos e muitas budas.

Três Joias que não são uma nem três.

Inversão de paradoxos.

Paixão pelos opostos.

Time.

Time que ri junto e chora junto.

Transpira e inspira.

Transparente serenidade de sermos de verdade, na verdade.

Nosso jornal ganhou um novo formato. Sempre teremos um texto de nossos mestres fundadores, Dogen Zenji e Keizan Zenji, para estudos e práticas.

No dia 5 de outubro celebramos o memorial anual para o fundador histórico do zen-budismo, mestre zen Engaku Bodaidaruma Daioshô, 28º na linhagem desse Xaquiamuni Buda, que levou os ensinamentos para a China.

De 1 a 8 de dezembro celebraremos a Iluminação de Xaquiamuni Buda, perseverando na prática de *zazen* por sete dias e sete noites.

Que na manhã do oitavo dia possamos todos exclamar com Buda, em Buda, no momento do êxtase místico: “Eu, a grande Terra e todos os seres simultaneamente nos tornamos o Caminho!”.

Surgindo desse *eu*, surgindo da grande Terra, surgindo de todos os seres, que possamos nos perceber a vida deste planeta pequenino, insignificante e tão importante – nossa casa comum, que fica neste bairro comum, Sistema Solar, na cidade da Via Láctea, no estado da Galáxia e no país do Multiverso.

Sorrateira e docemente abrimos coração-mente e nos percebemos um time no tempo.

Neste momento do agora. Somos o tempo. Somos o time.

Sanga unida na lida de cultivar a ternura e a paz.

Mãos em prece.

– Monja Coen

Ano 8 • nº 27

janeiro/fevereiro/março 2009
– Feliz Ano Buda 2575!

Amanhece.
Pouco a pouco, os pássaros saem dos ninhos.
O sol ilumina a transparência do céu.
Sentadas e sentados em *zazen*
Ouvimos todos os sons
Sentimos todos os odores
Percebemos luz e sombra
Na pele, a carícia da brisa fresca da manhã
Na boca, o sabor do amanhecer
E a mente pensante, incessante, luminosa
Brilha com a iluminação do dia
Pensamentos, não pensamentos e além de pensar e não pensar – o inconcebível.
Onde não há mais nada que se possa conceituar
Onde a palavra não alcança
Onde a onda maior descansa
Abismo inominável, incomensurável
Do Grande Vazio.

Amanhece
Desperta e vem
Zazen

Amanhece
Desperta, acorda
Se liga na vida

Amanhece
Renova os votos
De fazer o bem
Sempre retornando ao *zazen*

Zazen do grande veículo
Zazen da libertação
Zazen dos preceitos
Zazen da prática incessante
Zazen de budas ancestrais
Zazen da Iluminação Suprema

Anokutara Sanmyaku Sanbodai
Inspirando
Expirando
Aqui e agora
Planeja o futuro deste ano que se inicia
Planeja com cautela, planeja com alegria
Planeja com esperança
A transformação somos nós.
Coerência, transparência
Céu, imensidão

Abra suas portas invisíveis
E deixe-nos atravessar
Os portais sem portas
Onde habitam os imortais.

Refletindo sobre o ano que passou

Agradeço a cada uma e a cada um que comigo cruzou. Nas ruas, nas salas de aulas e palestras, nos templos, nos mosteiros. Silenciosos encontros de corações e mentes destemidos e determinados a fazer o bem a todos os seres.

Nosso monge Joshin, que se tornou *shusso* no templo Busshinji de São Paulo, orientando de nosso superior geral para a América do Sul, reverendo Dosho Taizan Saikawa Sookan Roshi. A primeira etapa cumprida para continuar a prática do Caminho de Buda, tendo renovado seus votos monásticos e confirmado sua prática religiosa.

A viagem ao Japão com a monja Waho e outros praticantes, penetrando o solo sagrado onde mestre Dogen e mestre Keizan praticaram. O encontro maravilhoso com nossa superiora do mosteiro de Nagoya, Aoyama Shundo Roshi.

Os passeios pelo monte Fuji, o templo-montanha imenso de Daiyuzan Saijoji, nossa casa no Japão. A ternura do reverendo Junnyu Kuroda, dos templos de Kirigaya, em Tóquio, e Fujidera, em Gotemba. Iida-san, motorista-guia nos levando a museus, a fazer macarrão e a subir na montanha mais sagrada do Japão.

Gueixas dançando e servindo, lindas e macias.

Kyoto e o mosteiro de Kenninji, onde mestre Dogen penetrou o *zazen*.

Hiroshima, a bomba e a paz. Os delicados dedos fazendo *tsurus* e jovens jurando nunca mais guerrear.

Nosso templo crescendo, o curso de Budismo Básico formando, informando. O Curso de Preceitos graduando.

Ordenações monásticas. De norte a sul o Caminho de Buda se espalha. Bebendo água de coco em Campina Grande, na Paraíba, ou chimarrão no Via Zen do Rio Grande do Sul.

Foi um ano e tanto. Vivido a cada instante.

Ao adentrar 2575 nos comprometemos, com todos os seres, a manter a prática correta do Caminho, dando continuidade à jornada inter-religiosa pela construção de uma cultura de paz, justiça e cura da Terra.

Alegria.

Ano-Novo.

Reinicia.

Todas as possibilidades abertas.

Vamos lá.

Faça, pratique, sorria.

Mãos em prece.

– *Monja Coen*

Ano 8 • nº 28

Abril/maio/junho de 2009 – Ano Buda 2575

Mães de Buda

Todos os budas e todas as budas são filhos e filhas de *Prajna Paramita*, a Sabedoria Completa, perfeita.

Sidarta Gautama, que se tornaria o Buda histórico – Xaquiamuni Buda –, era filho da rainha Maia, que morreu poucos dias depois de seu nascimento.

O jovem príncipe Sidarta tornou-se então filho adotivo de Mahaprajapati, irmã de sua mãe e segunda esposa de seu pai.

Saindo do castelo, adentrando as montanhas, procurando nas profundezas de si mesmo, encontrou no *zazen* outra mãe, outra fonte de vida. E ali, sob a árvore *bodhi*, despertou. Nasceu Buda.

Em abril, celebramos o nascimento de Sidarta Gautama, filho da rainha Maia e do rei Sudodana. Segundo pesquisadores japoneses, o jovem príncipe teria nascido na data correspondente a 8 de abril em nosso calendário.

No bairro da Liberdade, em São Paulo, nos vários templos e mosteiros zen budistas – tanto no Japão como nos Estados Unidos, na Europa, no Canadá, na Austrália, na América Central, na América do Sul –, todos os grupos ligados ao budismo japonês comemoram o nascimento de Buda Xaquiamuni no dia 8 de abril com o Festival das Flores. *Hanamatsuri* e banhar o bebê Buda com chá adocicado.

Contam os sutras que Buda nasceu no jardim de Kapilavastu. No momento de seu nascimento, flores desabrocharam e do céu caiu a mais doce chuva, abençoando o recém-nascido. E houve também o sonho de sua mãe biológica. O sonho da rainha Maia sobre um elefante branco que a tocava, prenunciando um nascimento extraordinário.

Por isso há na procissão um elefante branco carregando em seu dorso o Buda bebê, que aponta para o céu com a mão direita e para a terra com a esquerda. Ao nascer, ele deu sete passos. Depois falou, em cada uma das quatro direções: "Entre o céu e a terra, sou o único a ser venerado".

Mahaprajapati, a mãe que criou o menino como se fosse seu, também teve outros filhos, irmãos de Sidarta, filhos do rei, seu pai. Mas é a Sidarta que ela seguirá, anos mais tarde, tornando-se a primeira monja histórica. Foi sua segunda mãe, aquela que cria, que acompanha o crescer, que educa, que se dedica e que pouco se preocupa, pois se ocupa.

E o menino se tornou homem. Questionou a vida palaciana e saiu para o mundo, roupas rasgadas, cabelos cortados, sem joias, sem servos.

Sentou-se sob uma árvore com grande determinação. Vieram os diabos, as dualidades e as tentações a querer derrubá-lo. Sidarta conhecia as armadilhas da mente.

Jovem Sidarta não se moveu. Penetrou o mais profundo vazio do nada. Nada que é tudo, vazio prenhe de Buda por vir.

Sem se enredar na armadilha do orgulho. Humilde, percebeu-se um com o mundo.

"Eu, a grande terra e todos os seres simultaneamente nos tornamos o Caminho."

Proclamou o *Darma*, girando pela primeira vez sua roda sagrada. Quatro nobres verdades, uma delas o Caminho – a maneira de ser *intersendo* no mundo.

Da sabedoria e da compreensão suprema nasceu Xaquiamuni Buda. O sábio (*muni*) da tribo dos Xáquias. Buda, o Iluminado. Desperto, acordado.

Abril de Sidarta. Maio de Maia, Mahaprajapati, *Prajna Paramita*, *zazen*, *samadhi*. Mês de todas as mães.

Quantas mães cada uma de nós tem? Além da biológica, quantas vezes nascemos e somos cuidadas, tratadas, alimentadas, amadas? Por seres singelos, por seres humildes, por seres bondosos, por seres sábios – por budas e bodisatvas – cujos nomes se perdem e se esquecem, mas cujos feitos nos fizeram e nos fazem.

Profundo respeito e agradecimento a Buda e a todas suas mães amadas.

Mãos em prece.

– Monja Coen

Ano 8 • nº 29

Julho/agosto/setembro de 2009 – Ano Buda 2575

Do ação

Ação do Caminho.
Ação de doar.
No ar o Caminho.
Vazio.

Sem mais procura
No encontro perene
Cada instante revela
A mente suprema.

Inverno é tempo de invernar. De recolher e procurar abrigo.

Há um refúgio inigualável, um abrigo perfeito e supremo. O das Três Joias: Buda, *Darma* e *Sanga*.

Retornar e encontrar refúgio em Buda – Sabedoria Suprema, iluminação perfeita, compaixão absoluta, tranquila mente de *Nirvana*.

Retornar e encontrar refúgio no *Darma* – lei verdadeira, ensinamentos que levam à perfeição, que nos recolhem e nos aquecem com a chama do bem.

Retornar e encontrar refúgio na *Sanga* – comunidade em harmonia, pessoas afins que se comprometem a trilhar o Caminho de Buda.

A prática do Caminho requer intimidade com a Terra e com todas as formas de vida. Intimidade com o cosmos e com tudo aquilo que existe, deixa de existir e entra em existência.

Intimidade é ver com todo o corpo-mente, ouvir com todo o corpo-mente. Não apenas ver com os olhos e ouvir com os ouvidos. Assim como Kannon Bodisatva – cujo nome significa ser capaz de observar profundamente, ver com clareza os lamentos, os sons do mundo e atender às necessidades verdadeiras –, nós também podemos intimamente ver, ouvir, sentir, perceber e dar o que atenda à necessidade real da vida em cada vida.

Satisfazer apenas desejos mundanos não é a doação verdadeira.

Durante as cerimônias de Obon, no meio de julho, e O-higan, em setembro, fazemos ofertas especiais em um altar diferente do altar de Buda.

Representamos todo o cosmos, todo o universo, em um altar repleto de comidas cruas e cozidas, vindas da terra e do mar. O altar é abençoado e todos os espíritos são invocados para compartilharem dos alimentos. A oração principal é para que budas e bodisatvas, seres iluminados e benfazejos, possam permitir a todos os seres, em todas as esferas, receber nossas ofertas e ficar completamente satisfeitos. Que nada falte, que haja fartura e compartilhamento.

No budismo Mahayana (Grande Veículo), enfatizamos as Seis Perfeições ou Seis *Paramitas* como práticas essenciais para obter *Anokutara Sanmyaku Sanbodai* (Sabedoria Suprema).

O primeiro dos Seis *Paramitas* é, em japonês, *dana*, que significa *doação*. Todo o simbólico do Voto de Bodisatva está contido nesse doar.

Primeiro devemos fazer o voto de facilitar que todos os seres alcancem a outra margem (*paramita*) antes que nós mesmos o façamos. O fundador de nossa escola Soto Zen no Japão, mestre Eihei Dogen Zenji, escreveu um texto no século 13 chamado *Hotsu Bodai Shin*, que temporariamente podemos traduzir como *Acordar para a Mente Iluminada*.

Acordar ou despertar já é a própria Iluminação. A que estaria mestre Eihei Dogen Zenji se referindo? A insistência fundamental é que devemos primeiro fazer o voto de conduzir todos os seres à Iluminação. Essa é, para mim, a doação suprema e verdadeira.

Como fazer com que todos os seres alcancem a claridade suprema da mente iluminada e vivam em grande harmonia?

Que os próximos meses de inverno nos estimulem a dedicar a nossa prática e a nossa vida a aquecer todos os seres com a luz da sabedoria e da compaixão de Xaquiamuni Buda.

Apreciando a vida.

Gassho.

– *Monja Coen*

Musashi

Meu grande amigo Musashi morreu e está na Terra Pura.

Pura terra que acolhe nossos corpos mortos e largados, quentes ou frios, duros e retesados.

Terra de tantas vidas. Pura terra querida recebe meu mais amado Musashi.

Cão fiel.

Foi envelhecendo com dignidade.

Nada de tapinhas na cabeça.

Mas gostava de puxar os cabelos das pessoas em *zazen*.

"Quero sair, quero sair."

Passear pela praça do estádio do Pacaembu.

Mordeu algumas pessoas aqui e ali – para mostrar seu estado de líder, de chefe, de respeito, dignidade de samurai japonês.

Participava de palestras, meditações, orações, entrevistas, *dokusan*, passeios e refeições.

Musashi era um akita inu, cão que quase nunca ladra.

Uivou de dor, duas noites.

Seria dor nas costas?

Estava intoxicado.

De onde teriam vindo essas toxinas?

Do rato morto no quintal?

De algum alimento?

Da falta de tratamento?

Por que demoramos tanto a agir?

A vida sempre por um fio.

De meu amado Musashi fica a memória da maciez de seu pelo branco, do quentinho de dormirmos juntos – mesmo apertada em um canto da cama, eu era feliz assim.

Saudade de meu companheiro e amigo.

Gostava de andar de carro.

Como ficava triste se eu saísse sem ele.

Vi a injeção letal em seu corpo convulsionando.

Havia coçado suas orelhas e me despedido com tristeza.

Mas você não podia mais se levantar.

Teriam deixado de dar a droga necessária?

Teriam dado remédio para o estômago quando seu problema era nos rins? Teriam dado remédio para suas dores na coluna e não percebido a intoxicação?

Será que a morte de Musashi me ensina a ser mais direta e assertiva? A dizer o que sinto e penso sem medo de ofender e, assim, poder fazer o que minha sensibilidade e experiência de mais de sessenta anos de idade me indicam?

Omissão é cumplicidade. "Fale", diz o cartaz contra a discriminação aos idosos... Falemos, pois.

Quando telefonei domingo à noite para a clínica, me disseram que ele estava bem e de pé. Iriam dar de comer para ver como reagiria.

Na segunda-feira pela manhã fui até lá para buscá-lo. Deveria estar curado.

Tremia, convulsionava.

Por que será?

Que drogas deram – ou não deram?

A urina escura.

Ponho ao telefone uma veterinária amiga minha. Ela pergunta se deram remédio para infecção urinária, para intoxicação. A jovem veterinária da clínica fica nervosa. Brava, responde que deu tudo o que precisava.

Teria dado?

Espero que sim, para sua redenção.

Colheu rapidamente novas amostras de urina e de sangue para exames...

Depois de algumas horas torno a telefonar. Teria melhorado? Teriam dado finalmente remédios para ajudar meu amado bichinho a se desintoxicar? Fígado, rins...

Rins pararam de funcionar. Lá não faziam hemodiálise, teriam que transportá-lo para outra clínica.

Meu pai havia me aconselhado, uns dez minutos antes, que seria melhor deixá-lo morrer. Para que sofrer?

Chamam isso de eutanásia? *Eutanásia* quer dizer *boa morte, tranquila e feliz.*

Ele estava sofrendo. Incapaz de se mover. Reconheceu minha voz, meu toque, gemeu.

Então, depois de eu rezar, de fazê-lo sentir a fragrância do incenso, os toques do sino conhecido, Musashi deixou de ser, de respirar. Seu coração parou de bater, as convulsões cessaram. Injeção amarela e injeção de ar.

Eutanásia é morte tranquila. Para a morte ser tranquila, a vida teria de estar em tranquilidade na hora de morrer? Será que estou errada?

Fazê-lo dormir, descansar... Não daria mais para curar.

A morte me faz querer culpar alguém.

A morte faz com que me sinta culpada, omissa, como se pudesse sempre prolongar a vida do meu grande amado.

Treze anos de grande intimidade. Passamos por brincadeiras, ensinamentos, brigas, vacinas, alegrias, tristezas, doenças, curas, nascimentos, mortes. Tantas coisas se passaram nesses treze anos que só eu e ele sabemos.

Agora só eu sei. Termina aqui esse capítulo. Um dos mais doces de minha vida. O amor incondicional de Musashi, respeitável cão akita.

Nos veremos por aí, quem sabe em que forma, em que vida.

Somos a vida da Terra, pura terra, Terra Pura, nossa casa, nossa vida.

Descanse em paz, em Buda, no *Darma* e na *Sanga* – que sempre foram e sempre serão seu e meu local de abrigo, refúgio, morada, acolhida.

Você foi um bom cão, meu melhor amigo.

Gassho.

– Monja Coen

Ano 8 • nº 30

Outubro/novembro/dezembro de 2009
– Ano Buda 2575

Retiro Zen – Sesshin

Desde a época de Xaquiamuni Buda – ou seja, há cerca de 2.600 anos –, monges, monjas, leigos e leigas têm se retirado de suas atividades comuns do dia a dia para meditar intensivamente.

Silêncio e *zazen* são as bases de um *sesshin*, um retiro zen budista.

Silêncio não é apenas a ausência de palavras expressas. É o aquietar das oscilações da mente. É penetrar nas profundezas do essencial. É dissolver-se em cada som.

Silenciar é não olhar para as outras pessoas que participam do *sesshin*. É olhar para dentro, olhar para si, para a própria mente-corpo.

Silenciar é ser capaz de ouvir o murmúrio da brisa nas folhas, o bater das asas de uma borboleta.

Silenciar é estar absolutamente presente no instante perene. Em cada instante de dor ou de êxtase.

A mente alerta, clara, incessante e luminosa tudo compreende, e percebe como cada coisa, cada pessoa, cada objeto, cada instante e cada pensamento que surge se mantém brevemente e depois desaparece. Fenômenos em manifestação.

Quando passamos por atribulações, surgem muitos pensamentos, opiniões, dúvidas, questionamentos, sensações e emoções; a mente parece que fica tumultuada. É preciso atravessar essa etapa. Reconhecer e ir adiante.

Sempre indo adiante: *gate, gate, parasamgate, bodhi svaha* ("indo, indo, tendo ido, tendo chegado e continuado a ir, salve a Iluminação").

É preciso passar pelos obstáculos da mente-corpo, do corpo-mente, para adentrar a tranquilidade do silêncio sagrado mundano.

Zazen não é contemplar.

Zazen não é plena atenção.

Zazen não é meditação.

Zazen engloba todos esses aspectos e dá um passo a mais, o passo da não dualidade *eu*-outro.

Tornar-se o que é, assim como é – *Nyo Ze Zen* – o zen do "assim como é", zen de Tatagata, zen de Nyorai, zen de Buda. Como é o *zazen* de Xaquiamuni Buda?

Certa feita, alguns visitantes foram procurar Buda no meio de uma floresta.

Disseram que ele estava com mais de cem praticantes. As pessoas caminhavam suspeitando estar no local errado.

Não havia um único som humano. E, de repente, depararam com aquela centena de pessoas silenciosas e tranquilamente sentadas.

O que faziam? O que fazemos quando estamos em retiro?

Somos capazes de desligar nossos celulares? Somos capazes de desligar nossa mente-corpo de preocupações, de turbulências? Somos capazes de respirar conscientemente e ir além de respirar conscientemente, tornando-nos a própria respiração?

Cada célula do corpo contém todo o corpo.

Cada célula da mente contém toda a mente.

Corpo e mente estão interconectados, interligados, emaranhados nos fios luminosos dos tecidos, dos sistemas que compõem o organismo humano, o organismo-vida do universo-multiverso.

A pessoa humana não está separada, recortada da vida de todos os seres.

Somos a vida da Terra.

Somos o canto dos pássaros e o cantar dos pneus no asfalto.

Sem apegos e sem aversões.

Fluindo com o fluir.

Budismo é religião. Religião de milhões de pessoas em todo o planeta Terra. Religião com rituais, fé, entrega, meticulosidade, tradição, transmissão.

A palavra religião pode ser *religare*, *ligar de novo*, *amarrar forte*. Não especifica a que ou a quem. Nos religamos a Buda, ao *Darma* de Buda, à *Sanga* de Buda.

Religião pode ser *relegere*, *ler de novo*, *passar de novo*. Relemos, revemos a verdade e o Caminho.

Religião pode ser *religiens*, que significa *cuidadosamente*, o oposto de *negligens*, *negligentemente*.

A prática deve ser feita religiosamente, com dedicação, cuidado, atenção e vigor meticuloso.

A palavra *sesshin* pode ser escrita de duas maneiras em japonês. *Shin* significa *mente* ou *essência* do ser. Se for precedida por um determinado caractere, significa "ligar a mente". Se precedida por outro, significa "penetrar a mente". Ambas as maneiras podem ser utilizadas.

Sesshin significa *praticar cuidadosamente*, religando, revendo, relendo a realidade individual e coletiva.

Seguimos o *Darma* de Buda, os ensinamentos antigos.

Somos a *Sanga* de Buda.

Silêncio.

Apenas sentadas, pessoas paradas de face para a parede.

Estariam fazendo nada? Vazias de intenções?

É possível parar a mente? É possível parar o corpo?

Claro que não. Sem parar, sem ir e sem ficar.

Sutil, muito sutil, a respiração se faz naturalmente.

Sutil, muito sutil, cada célula viva trêmula.

Sutil, muito sutil, sinapses neurais de paz, de tranquilidade e de liberdade são fortalecidas.

Sutil, muito sutil, budas se manifestam.

Convido vocês a virem fazer *zazen* conosco.

Convido vocês a virem fazer *sesshin* conosco.

Convido vocês a se religarem, a se relerem – meticulosa, cuidadosa, respeitosamente.

Mãos em prece.

– **Monja Coen**

Ano 9 • nº 31

Janeiro/fevereiro/março de 2010 – Ano Buda 2576

Feliz Ano do Tigre – Ano Buda 2576 (2010)

“*Zazen* não é meditação passo a passo.
É o portal do *Darma*, da agradável tranquilidade.
É a prática e a realização da Iluminação.
É tornar-se o *koan*.
A verdade aparece, não havendo mais delusão.
Ao compreender isto, nos tornamos completamente livres –
assim como um dragão na água
ou um tigre recostado na montanha.”

(***Fukanzazengi***, *Eihei Dogen Zenji*)

Entramos no Ano do Tigre.

Que seja o ano da verdade, da não delusão.

O ano da Iluminação e da liberdade.

O ano do tigre livre, tranquilo, recostado na montanha, em seu elemento, em sua casa, em paz.

Que nada falte a ninguém.

Que todos possam ter o suficiente.

Que saibamos compartilhar e confortar.

Que saibamos facilitar às pessoas o acesso ao seu próprio poder de compaixão dos budas e das budas.

Que o *zazen* se manifeste no Grande *Samadhi, Zanmai Oo Zanmai – Samadhi, o Rei dos Samadis.* Além das dualidades, além das separações. Onde nos percebemos interligadas, interligados a tudo e a todos. Ao mesmo tempo somos únicas, únicos – seres livres e independentes. Como viver o paradoxo?

Nada é impermanente, pois nada se cria e nada se destrói.

No Grande Vazio, onde fica o *eu* e o outro?

Permanência, impermanência – ainda há dualidade.

"Absoluto e relativo são como uma caixa e sua tampa", já dizia nosso velho amigo e guia Buda Sekito Kisen Daioshô, ancestral de nossa família, de nossa escola, de nosso grupo Soto Zen, lá da China antiga.

Ah! A linhagem da transmissão direta, face a face.

De Buda a Buda. Inquebrantável. E não há nada a ser transmitido. Apenas Buda reconhece Buda.

No Grande Vazio, a Sabedoria Suprema revolve a Sabedoria Suprema e todo o mal é afastado.

Daí Hannya Haramita.

Goboku issai daí ma sai sho joju.

Monges e monjas em uníssono invocamos a Grande Sabedoria (*Daí Hannya*), que é *haramita*, *paramita* (perfeição, completude).

E é essa perfeição da sabedoria completa que permite afastar todos os males, todos os obstáculos.

Livres e interdependentes.

Como tigres recostados às montanhas sagradas.

Este ano começa com um período de treinamento intensivo em janeiro, com nossas homenagens de gratidão e respeito profundo no dia do nascimento de nosso mestre fundador, Dogen Zenji Sama.

Em fevereiro, honramos a memória do *Parinirvana* de Buda – *Nehan Sesshin*. Em março, o grande *paramita*, a grande travessia no equinócio – *O-higan*.

Que seja um ano de prática incessante do Caminho de Buda.

Mãos em prece.

– Monja Coen

Ano do Tigre

Tigre que se recosta na montanha. Tigre em seu elemento, sua casa, sua morada, tranquilo estado de liberdade iluminada.

Tigre tigrado tigrada tigresa.
Em cada faixa incomensurável braveza
Pisa leve
Salta e surpreende
A presa grita
Tigre rasga entranhas
Boca escancarada
Ensanguentada
Tudo se aquieta
Mama na teta a tigresa

Resto de gente
Resto de feras
Bebe o leite
Com cheiro de sangue
Ainda nas goelas
Da mãe e do pai

Então aprende
Nas listras negras e amarelas
A se esconder
No sorriso
Do gato de Alice

Apenas um salto
Um pulo
Um grito
Um nada

Tigre na mata
Tigre na selva
Tigre recosta
Barriga exposta
Na barra da montanha

Recosta e descansa
Depois da façanha
Ronrona
Ressoa o seu roncar
E toda a montanha
Ronca tranquila

Tigre livre
Tigre feliz
Tigre domina
Tigre predomina
No ano do Tigre
Cada um de nós

Recostando na montanha

No *zazen*

Nosso elemento natural

Nossa casa, nosso lar

Nossa tranquilidade perfeita

Mãos em prece.

– *Monja Coen*

Ano 9 • nº 32

Abril/maio/junho de 2010 – Ano Buda 2576

Buda, *Darma*, *Sanga* – generosidade mútua

O corpo Buda é o corpo vida, multiverso, chamado de *sambogakaia*. Natureza Buda, natureza iluminada e sábia se manifestando em cada partícula do cosmos. Buda nasce e renasce Buda incessantemente.

Ao mesmo tempo, é o *Darmakaia*, o corpo do *Darma*, dos ensinamentos, da grande verdade. Como poderia Buda ser se não o fosse pelo despertar? Seus ensinamentos são seu corpo verdadeiro. Os sutras, os preceitos e a vida de prática incessante do Caminho – que leva à percepção do Grande Vazio, da transitoriedade e da rede de interdependência – são o corpo *Darma*.

Buda Xaquiamuni, comprovado historicamente como o príncipe Sidarta Gautama, nascido no dia 8 de abril num jardim de flores e néctar celestial, é o *nirmanakaya*. O corpo humano, a pessoa Buda.

Bebê, criança, adolescente, adulto, idoso, Buda viveu há cerca de 2.600 anos, na Índia. Abandonou o que é difícil de abandonar. Correu e percorreu estradas, florestas, montanhas, rios. Abriu os caminhos do *zazen*, da meditação, da sabedoria e da compaixão. Atingiu o *samadhi* dos *samadhis*. Percebeu-se vida interdependente de tudo que é.

Interdependência é o incessante circular do compartilhamento supremo: vento, sementes, sol, água, terra, planta, insetos, animais, peixes, aves – vida alimentando vida. Antropofagia? A vida da terra se alimenta de si mesma. Compartilha.

Mútua interdependência significa suporte mútuo.

Quando nós, a *Sanga*, recitamos sutras – os ensinamentos de Buda, o *Darma* de Buda –, oferecemos seus méritos aos budas e às budas, mestres e mestras ancestrais, em gratidão por suas orientações. Constantemente recebemos seus ensinamentos e constantemente os transmitimos.

Buda, *Darma* e *Sanga* entrelaçados, sustentando uns aos outros na harmonia da prática do Caminho.

Dana Paramita – prática da doação perfeita, doação que nos leva à margem da sabedoria e tranquilidade – deve estar além da dualidade entre o *eu* e os outros.

Apenas quando o *eu* é esquecido e corpo e mente são abandonados, a mente se manifesta incessante e luminosa, jorrando sabedoria e compaixão.

Gratidão, de graça. Graça de poder dar, servir. É preciso ter quem receba, acolha. Nossa carne, nosso sangue, nossa medula, nossa mente, nosso ser. Tudo é *dana paramita*. Doar. Esse é o caminho do bodisatva.

Bodisatvas são seres que renunciam a seu bem-estar individual pelo bem de todos os seres. Bodisatvas podem ser eu e você, se formos capazes de praticar a doação da confiança e do respeito, libertando a todos das amarras da delusão, do medo e do sofrimento.

Dogen Zenji (1200–1253) escreveu sobre quatro espécies benéficas de sabedorias: ofertas, palavras amorosas, benevolência e identificação. São práticas de bodisatva.

A primeira, *oferta* ou *doação*, se opõe à avareza. Fazer ofertas sem esperar receber nada em troca. Não importa se a doação é pequena ou grande. O importante é que traga verdadeiros resultados. Uma pequena oferta pode produzir grandes ensinamentos. Os ensinamentos são tesouros, os ensinamentos são ofertas.

Construir uma ponte, construir um templo ou um local de prática são formas de doação.

A coordenadoria administrativa da Comunidade Zen Budista Zendo Brasil inicia neste trimestre a campanha "Um templo para o Zendo Brasil".

Colaborar, trabalhar juntos para a construção de um lugar adequado à clarificação e à prática dos ensinamentos de Buda.

Buda, *Darma* e *Sanga* são generosidade mútua, são o *interser* da natureza. Surgem da ternura, do respeito, do cuidado, da prática-realização.

Compartilhar Buda, praticando a vida iluminada. Compartilhar o *Darma*, vivenciando o *Darma*.

Conviver com a *Sanga*, sendo a *Sanga*.

Os Três Tesouros, as Três Joias, são uma única joia arredondada, sem dentro nem fora.

Não reclame. Não resmungue.

Participe. Aprecie. Colabore.

Mãos em prece.

– Monja Coen

Ano 9 • nº 33

Julho/agosto/setembro de 2010 – Ano Buda 2576

Ango

Todas e todos os budas e ancestrais do *Darma* sempre praticaram com grande intensidade, sem cessar, pois a prática incessante do Caminho Iluminado não está separada de Buda. É a própria manifestação da Natureza Buda.

Budas praticam Buda incessantemente. Embora haja prática e Iluminação, uma não pode ser separada da outra.

Assim como o gelo e a água, seres humanos e budas se relacionam. A claridade, a força e o calor dos ensinamentos derretem o gelo, aquecem a água – o vapor se espalha pelas dez direções.

A imensa, pura, incessante e luminosa mente se manifesta em transformações. Muito antes de julgamentos, de valores como "belo" ou "não belo". Assim como é. *Nyoze. Gaku no gotoku.*

Para acessarmos Buda, para acessarmos a mente una, para acessarmos a iluminação perfeita, seguimos as orientações deixadas por grandes mestres e mestras do passado distante, do passado próximo, do presente e do futuro.

Tendo Nyojo Daioshô – mestre de Dogen Zenji Sama, monge fundador da nossa tradição Soto Shu, no Japão – era um reverendo abade exemplar na China do século 13. Não se apegava à fama ou ao lucro. Não se importava com títulos e funções junto à aristocracia nem queria enriquecer. Seus interesses estavam distantes da política e dos jogos manipuladores.

Em seu mosteiro, juntavam-se centenas, até milhares de praticantes. Quando a comida não era suficiente, o mestre pedia que colocassem mais água no arroz. Muitas vezes, em vez de comer, bebiam o arroz, um caldo fino. E ninguém reclamava.

Havia frio cortante, paredes por onde penetrava o gelado vento do inverno momentos antes de a silenciosa neve cair. Todos se sentavam eretos das três da manhã às onze da noite. *Zazen*.

Certa ocasião, mestre Tendo – o antigo Buda, como o chamava carinhosa e respeitosamente mestre Dogen – disse aos monges sobre o período de treinamento (*Ango*):

> “Vocês, praticantes, estão agora formando a estrutura da verdadeira prática e construindo uma caverna no vazio universal. Completem essas duas coisas e terão uma tigela de laca.”

Ango é um período de treinamento intensivo que dura noventa dias. É o comprometimento de treinar em cada ação. Quando assim percebemos, nos tornamos diligentes. O treinamento deve ser feito em grupo, em uma comunidade, com a *Sanga*, a joia de Buda.

Meu mestre de ordenação monástica, Koun Taizan Daioshô, durante suas palestras costumava apontar para cada um e cada uma de nós, dizendo: “Você é a minha joia preciosa”.

Cada praticante que se entrega verdadeiramente ao *Darma* de Buda é a manifestação do Tesouro da *Sanga*.

Dormimos lado a lado em situações muitas vezes incômodas. Nossas necessidades fisiológicas, de alimentação e de sono nos tornavam muito próximos. Criamos um nível de intimidade maior do que entre pais e filhos, esposas e maridos.

Refletindo em quietude, seguimos as rotinas do mosteiro, do templo, do centro de práticas. Ao toque do sino nos levantávamos. Rapidamente nos preparávamos para o *zazen* da manhã. Ouvíamos o despertar dos pássaros e percebíamos o nascer do sol.

Abríamos nossas bocas apenas para entoar os ensinamentos sagrados. O corpo podia doer, a mente podia sangrar, mas a decisão firme de ficar, de praticar, de se tornar o próprio caminho, era muito maior.

Durante o início de julho tivemos dez dias de treinamento intensivo. Nem todos que gostariam de fazer o treinamento puderam estar presentes conosco. Alguns se sentaram em suas casas, leram os sutras e, de longe/perto, nos acompanharam.

Meu propósito maior é encorajar todas as pessoas que se interessam pelos ensinamentos de Buda a se engajarem nessa prática incessante.

Xaquiamuni Buda disse certa vez a Ananda, seu discípulo:

> « Eu continuamente prego o *Darma* para seres humanos, divindades, meus discípulos e discípulas próximas e a todos os seres. No entanto, nem todos respeitam o *Darma* corretamente. Por isso, vou instituir um período intensivo de noventa dias. Que cada pessoa se sente em *zazen*. Se acaso houver alguma questão sobre os ensinamentos, responda por mim, dizendo: 'Tudo o que existe, todas as coisas são não criadas e não destruídas'. »

Assim dizendo, o próprio Buda sentou-se silenciosamente.

Gassho.

– ***Monja Coen***

Treinamento intensivo

Meu pai está morrendo. Lenta e dolorosamente. Tudo o que posso fazer é acariciar suas mãos, seus pés. Ajudo no banho, que é realizado na cama do hospital. Durmo ao seu lado – quando durmo.

Fico acordada ouvindo-o respirar através de uma máscara presa em sua cabeça por tiras pretas.

Parece um instrumento de tortura medieval. Médicos e enfermeiros me garantem que isso alivia sua dificuldade respiratória.

Procuro acompanhar o ritmo do aparelho. Fico tonta. Inspiração rápida, expiração longa. Não há pausa alguma entre inspiração-expiração-inspiração.

Seu pulmão está comprometido, pneumonia, líquidos. A fisioterapeuta vem fazer aspiração. Um pequeno tubo plástico entra pela narina e chega ao pulmão. Suga sangue, catarro. Desagradável. Meu pai, aos 94 anos, franze o nariz.

Isso me lembra dos iogues, que fazem limpeza interna. Água pura aquecida e sal. Entrando por uma narina e saindo pela outra. Tantas formas de práticas eficientes, ainda que antigas.

No hospital, não perguntam se a pessoa está interessada nesse tipo de intervenção. Fazem o melhor pelo paciente.

Descobriram que havia um hematoma entre a caixa craniana e o cérebro de meu pai. Perguntas pairam em minha ignorante mente zen. Seria adequado operar um senhor de 94 anos em tratamento por pneumonia?

Seria resultado de queda antiga ou recente? Ou dos anticoagulantes amplamente utilizados depois de uma cirurgia para a colocação de uma prótese em seu fêmur direito?

"Ele sangra muito", foi o comentário do neurocirurgião após uma trepanação e drenagem.

Minha irmã mais nova não queria que ele passasse pela cirurgia. Preferia que ele fosse morrendo aos poucos, naturalmente, que não fosse ferido, cutucado, maltratado. Que lhe dessem um sedativo, caso piorasse.

Parecia tão bem. Queria ter alta. Voltar para casa. A pneumonia estava controlada. Depois de vários dias e muitos antibióticos, havia conseguido se virar de lado, como gostava de dormir.

Mas então veio o veredicto dos especialistas: se não fizesse a cirurgia, estaria sendo condenado a uma morte muito sofrida.

De tantas e tantas foi operado. Queria e não queria. Tinha medo, pavor.

Eu estava liderando um treinamento intensivo. Sentava-me em *zazen* e imediatamente voltava ao quarto do hospital. Sim, em todos os períodos de *zazen* eu me via no quarto com ele.

Queria o seu bem, não sua dor, seu sofrimento.

Houve pioras, houve melhoras.

Nós, monges, somos proibidos de matar. Não podemos fazer uso de nenhum meio para terminar com a vida, nem mesmo mantras ou pensamentos.

Oro por meu pai. Oro para que tenha tranquilidade em suas dificuldades.

Tudo o que começa, termina.

Não há encontro sem despedida.

O corpo é como uma carroça. Quando quebra e não pode mais ser usada, devemos abandoná-la.

Meu pai não quer morrer.

Meu pai quer viver.

Iniciaram a sedação. Teve pneumotórax. Furo na pleura. Teria sido o aparelho de respiração, usado incessantemente?

O que pensa meu pai? O que não pensa?

Vá para a luz infinita. Radiante luz, mais forte que a do sol.

Pôr do sol. A luz bate em meus olhos e é refletida nos olhos de meu pai.

Verde luz envolve parte de seu rosto. Olhei demais para o sol, mal vejo sua face, pai.

Minha irmã mais velha chora, acarinhando, abraçando, querendo colocá-lo em seu colo.

Ele olha. Olhos azuis que olham.

Ele quer as filhas felizes.

Bom pai. Não queria me despedir de você. Queria ficar mais um pouco, queria acreditar que você sobreviveria à anestesia geral, apesar da pneumonia.

Choro enquanto oro o *Sutra do Coração da Grande Sabedoria Completa*.

Anoitece.

Prática incessante do Caminho.

Gate gate para gate parasamgate Bodhi svaha.

Indo indo, tendo ido, tendo chegado e ainda assim indo. Salve a Iluminação.

Pai, agradeço por sua vida, por minha vida. Pelos ensinamentos, pela ternura, pelos cuidados, pelos alimentos, pelos limites ilimitados.

Beijo suas mãos inchadas de tanto soro e saio do quarto querendo voltar.

Há volta, meu pai?

Onde dorme agora? Onde sonha? O que sonha? Pensa? Não pensa?

Triste, escrevo a tristeza.

A despedida de meu pai.

Dói.

Respiro fundo, solto lentamente.
Lenta a mente.
Isso é zen. Isso é ioga. Isto é vida-morte. Nós.[5]
Mãos em prece.

– Monja Coen

5. José Soares de Souza, pai de Monja Coen, faleceu no dia 12 de julho de 2010, aos 94 anos de idade. Dados sobre sua vida podem ser encontrados no site monjacoen.com.br.

Ano 9 • nº 34

Outubro/novembro/dezembro de 2010
– Ano Buda 2576

Prática incessante

> “Tudo o que possa acontecer é oportunidade de praticar o Caminho de Buda. Não desperdice as oportunidades. Doença ou saúde, encontros ou desencontros. Tudo é chance de treinamento. Use-as bem.”

Foi com essas palavras que Aoyama Shundo Docho Roshi recebeu a monja Zentchu, junto com outras noviças, no mosteiro de Nagoya, no dia 1º de setembro.

Estava muito quente, fazia 37, 38 graus Celsius. As monjas todas transpiravam, as roupas coladas nos corpos úmidos.

Calor é oportunidade de prática. Seja o calor. Frio é oportunidade de prática. Seja o frio.

O não ir contra o que está acontecendo. Fluir com as circunstâncias e perceber que somos a própria transformação da realidade. Somos a mente, e nada existe além da mente. Sabedoria e compaixão são manifestações da mente Buda. Praticar incessantemente é praticar Buda.

Estar adoentada se torna uma oportunidade de prática, não um obstáculo.

No Caminho não há obstáculos, apenas o Caminho.

Em seguida, Aoyama Shundo Docho Roshi recomendou que as monjas em treinamento observassem as várias faces dos seis mundos.

Faces endiabradas, faces animalescas, faces insaciáveis, faces violentas, faces humanas, faces celestiais. E as faces iluminadas de arakãns, bodisatvas e budas.

Reconhecer nossas faces nas faces das pessoas que encontramos, com as quais cruzamos.

E que face apresentamos? Que face, que estado mental estamos vivenciando?

Nos templos, mosteiros e centros de prática zen-budista cultivamos Buda.

Ver Buda, manifestar Buda, é conhecer sua própria natureza. Natureza própria vazia como o céu, pura como a água cristalina. Sem nada a conquistar, sem nada a descartar.

As trinta monjas sentadas sobre seus pés ouviam com atenção a grande mestra Aoyama Roshi.

Se alguém mostrar a você uma face endiabrada, lembre-se de que é uma de suas próprias faces. Lembre-se também de que somos responsáveis pelas faces que as pessoas mostram a nós. Como provocar a face Buda em cada ser que encontramos?

Zentchu e eu havíamos chegado a Tóquio poucos dias antes de sua entrada oficial no mosteiro. Fomos ao templo de Kirigaya, em Shinagawa. O abade, reverendo Junnyu Kuroda, estava viajando. Quem nos recebeu foi seu discípulo, o monge Kono. Tudo o que solicitávamos – a ele ou ao outro monge auxiliar do templo, Yudo – era prontamente providenciado. Fiquei até surpresa e precisei ser mais cuidadosa ao conversar com eles, pois, sem se importar consigo próprios, deixavam o que estavam fazendo – fosse comer ou beber – para imediatamente solucionar nossas questões.

Facilitaram o passeio turístico-religioso por templos em Tóquio, a visita especial ao mosteiro-sede de Sojiji, em Yokohama, duas noites no templo Fujidera (que vira construir na época em que morara no Japão) e o pernoite no mosteiro de Daiyuzan Saijoji – templo onde recebi a transmissão do *Darma* e onde estão registrados todos os monges e monjas do Zendo Brasil.

A luz de Buda, que mestre Dogen e mestre Keizan transmitiram há oitocentos anos, continua sendo transmitida.

O servir eterno de mestre Koun Ejo, sucessor de mestre Dogen, colocando seus restos mortais aos pés do antigo mestre, sem placa indicativa de seu nome; a mesma disposição encontrada em Doryo Sonja, discípulo do abade fundador de Daiyuzan, que ascendeu aos céus e é considerado hoje um santo protetor da montanha; a dedicação das antigas mulheres budistas, das primeiras monjas no Japão, fundadoras do mosteiro de Nagoya; e a famosa e santificada monja Eshun-ni, de Daiyuzan, que queimou sua belíssima face para ser incluída na ordem monástica.

Exemplos raros e intensos de prática incessante.

Essa mesma claridade de sabedoria e compaixão deve se manifestar na disposição e na prontidão em servir e cuidar, sem se importar com seu próprio corpo-mente.

Estamos dispostas a deixar nosso cafezinho esfriar para atender a necessidade de quem chega?

Podemos interromper nossa refeição para cuidar de alguém?

Sorrimos e agradecemos a quem nos orienta no treinamento?

Sem guardar rancores e ressentimentos, sem resmungar sobre as faces e atitudes dos outros, somos capazes de servir com adequação e leveza?

A prática incessante do Caminho não se refere apenas a atos heroicos e extravagantes. Manifesta-se em cada instante de nossa própria vida. Não perca as oportunidades de treinamento. Seja Buda. Seja a mente. Conheça sua natureza verdadeira. Pratique.

Gassho.

– Monja Coen

Ano 10 • nº 35

Janeiro/fevereiro/março de 2011
– Feliz Ano Buda 2577!

Ano-Novo, Tempo Novo, Templo Novo.

Ano do Coelho, ano da rapidez, da reprodução, da multiplicação.

Que possa ser um ano de multiplicadores e multiplicadoras do *Darma* de Buda.

Que possamos iniciar as obras de nosso templo.

Há dez anos fundamos a Comunidade Zen Budista Zendo Brasil.

É hora de termos uma sede própria.

Nosso reconhecimento oficial como templo da tradição Soto Shu, no Japão, depende de uma sede própria.

Para melhor acomodarmos as pessoas que procuram pelos ensinamentos de Buda, quer em aulas, práticas, palestras e retiros, precisamos de espaços adequados.

Assim, neste ano Buda de 2577 (2011), vamos unir esforços para conseguir um terreno ou uma casa que possa ser reformada, na Zona Oeste da cidade de São Paulo.

Quando focamos nossa atenção, Buda nos responde.

Nosso propósito maior e principal é a transmissão dos ensinamentos de Xaquiamuni Buda, que é a transmissão do caminho da sabedoria, do entendimento, da compreensão, da ternura, do cuidado e da compaixão.

Tudo e todos incluídos: seres humanos, a grande natureza, a Mãe Terra.

Sustentabilidade: o que deixaremos para as gerações futuras?

Que gerações futuras estamos deixando?

Como educamos nossos filhos e filhas?

Como formamos nossos jovens e nossas jovens?

Homens e mulheres capazes de transformar o sistema sócio-político-ambiental-psico-espiritual-mental-coletivo-individual por funcionarem nos níveis mais profundos de consciência – só no conhecimento de nosso *eu* verdadeiro isso pode acontecer.

Queremos budas homens e budas mulheres, lado a lado, cultivando um novo campo, cultivando uma nova cultura – a cultura da não violência ativa, da paz, da justiça, da cura da Terra.

Há tanto a ser feito.

É preciso correr.

O que fazemos, falamos e pensamos interfere em tudo e em todos.

Então escolha palavras, pensamentos e ações. Perceba hábitos antigos e descarte-os. Faça o exercício de compreender e acolher, transformando você e as situações por meio da ternura e do carinho.

Se você concorda com nosso propósito de fomentar mentes iluminadas na coalizão de pessoas capazes de transformar um mundo de medo em um mundo de não medo, uma realidade de violência em uma realidade de não violência, junte-se a nós.

Venha sentar-se em zen. Venha se comprometer à prática de respirar conscientemente e escolher respostas sábias e ternas aos conflitos que porventura surgirem.

Venha ser a revolução permanente. A única possível, pois é feita de jovens e idosos, homens e mulheres, ricos e pobres, incluídos e excluídos. É a terra, as plantas, as águas, o ar, as pedras, o solo e todas as formas de vida. De vida-morte. Morte-vida. O planeta. Planeta em um sistema. Sistema em uma via.

Multiplicação de alimentos, trabalho, justiça, saúde, cuidados por e para seres iluminados de todas as crenças e não crenças, filosofias e não filosofias; todos os que acreditam em uma ética global para que a vida humana possa ser desfrutada com alegria, na beleza deste planeta azul.

Então nos ajude.

Ajude-nos a construir um templo.

Templo de pedra, madeira e cimento. Templo com teto e com paredes. Paredes vazias e tetos que nos protejam da chuva e do sol, mas que não nos separem do céu.

Templo do novo tempo. Tempo novo de construção interna-externa. Alvenaria? Brancas paredes como nuvens passando. Pensamentos, sentimentos, vêm e vão. O que fica?

Silêncio para ouvir o tudo-nada.

Respostas em vez de reações viciadas.

Liberdade responsável. Transformando modelos antigos e autocentrados em modelos mentais abertos e inclusivos.

Somos a vida da Terra.

Não viemos de fora, não iremos para fora.

Não há fora nem dentro.

Não há vida a ser desejada.

Não há morte a ser temida.

Cada instante – apreciação sentida.

Feliz Ano-Novo.

Feliz Tempo-Novo.

Mãos em prece.

– *Monja Coen*

Daiyuzan Saijoji

O templo Daiyuzan Saijoji foi fundado em 1394, na província de Kanagawa, no Japão. Compõem o lugar cerca de trinta edificações cercadas por vinte mil cedros japoneses com mais de seiscentos anos, em uma área de 270 mil metros quadrados. Há uma linha de trem que leva da cidade de Odawara até a estação de Daiyuzan. Da estação até o templo são vinte minutos de ônibus, subindo as montanhas.

Daiyuzan Saijoji é considerado o terceiro templo mais importante para a tradição Soto Shu (os dois primeiros são os templos-sede de Eiheiji e de Sojiji), e foi ali que recebi a transmissão do *Darma* de meu mestre, então abade superior reverendo Yogo Suigan Roshi. Após seu falecimento, assumiu o atual abade, Ishizuki Roshi, chamado respeitosamente por todos de Gozen sama.

As monjas e monges ordenados em nossa *Sanga* são registrados em Daiyuzan Saijoji, sede administrativa da tradição Soto Zen Shu do Japão.

O templo foi fundado pelo mestre zen Ryoan Emyo, que nasceu em Kanagawa e se tornou monge ainda bem jovem. Praticou no templo Engakuji, em Kamakura, e no Daí Honzan Sojiji, em Ishikawa. Foi discípulo do ancestral do *Darma* Tsugen Jakurei (1323–1391), no templo Yotakuji, em Hyogo.

Mais tarde, Ryoan Emyo Zenji foi nomeado abade superior do mosteiro-sede de Sojiji. Entretanto, aos 57 anos retirou-se para um eremitério nas redondezas de Odawara, chamado de Jikudo-un.

Conta a lenda que certo dia Ryoan Emyo Zenji estava secando sua *o-kesa* (manto budista) ao sol quando uma águia passou voando e levou o manto em direção às profundezas da montanha. Como a *o-kesa* fora um presente de seu mestre, Tsugen Jakurei Daioshô, durante uma cerimônia de transmissão do *Darma*, Ryoan Emyo Zenji saiu à sua procura. Passou pela densa floresta e encontrou-a pendurada no topo de um pinheiro muito alto. Como era impossível alcançá-la, sentou-se em *zazen* sob a copa da árvore.

Depois de algum tempo, a *o-kesa* voou e cobriu seu ombro.

Ryoan Emyo Zenji percebeu que ali era um local perfeito para construir um templo e que a águia teria sido uma mensageira celestial apontando o caminho.

Para executar tão grande tarefa, precisava de ajuda. Lembrou-se de um amigo de confiança que conhecera no mosteiro de Sojiji, o monge Myokaku Doryo. Um homem forte, grande e muito disposto. Diziam que tinha a força de quinhentos homens.

Nessa época, o monge Doryo era líder de oitocentos monges. Praticavam ascetismo em Miidera (templo na província de Shiga). Quando Doryo recebeu o chamado de Ryoan Emyo Zenji, lembrou-se de sua promessa antiga: "Se precisar de qualquer coisa, me avise. Ficarei feliz em ajudar". E assim foi imediatamente cumprir sua palavra.

Doryo esteve presente durante toda a construção e preparação do terreno, cortando árvores gigantescas, levantando pedras enormes, como se fossem de algodão.

No mosteiro há uma pedra gigantesca que Doryo carregou e também a fonte que ele teria aberto. Ela está lá até hoje para quem quiser beber a água pura que brota da montanha.

Com a ajuda de Doryo e o suporte financeiro do chefe de um poderoso clã, em apenas um ano o templo foi construído. A inauguração foi em 1394.

Dezessete anos depois, em 1411, o abade fundador Ryoan Emyo Zenji faleceu.

Dilacerado pela dor, Doryo deixou de se alimentar e disse: "Não quero mais ficar neste mundo. A partir de agora serei a divindade guardiã deste templo". Segundo a lenda, ele ascendeu aos céus com os pés sobre as costas de um cachorro branco.

A lenda conta que se tornou um *tengu*, criatura mística do folclore japonês que habita montanhas íngremes e vales profundos, caracterizado pelo nariz muito longo, bico e asas de pássaro em um corpo humano.

Dizem que seu corpo nunca foi encontrado e que de tempos em tempos aparecem penas gigantescas nas montanhas.

O templo e as montanhas são considerados locais sagrados pelos devotos.

Esse homem-pássaro passou a ser chamado de Doryo Satta (Satta de Bodisatva), e é consagrado em uma das edificações do templo/mosteiro, chamado de Goshinden.

O templo é também um mosteiro de treinamento intensivo para monges da tradição Soto Zen.

Além das práticas de *zazen*, *samu* e liturgias comuns a outros mosteiros, Daiyuzan Saijoji se caracteriza pelo *gokito* – o revolver do *Sutra da Sabedoria Perfeita*, invocando as bênçãos àqueles que as solicitam. Durante todo o ano inúmeras pessoas pedem bênçãos, quer sejam pessoais ou, quer mesmo para empresas e países. Durante os primeiros dias de cada ano formam-se filas enormes de carros e de pessoas para receber as bênçãos de sabedoria do Ano-Novo.

Os monges andam de *getas* (sandálias altas de madeira), e o som de seu caminhar pelas escadas de pedra é inconfundível.

Há também uma área dedicada a essas *getas*, mais de cem, algumas gigantescas, de madeira ou de metal. Dizem que simbolizam a felicidade conjugal, pois são um par, e que mulheres grávidas que passam sobre os arcos das *getas* enormes terão partos felizes.

Na época da construção, grande parte dos fundos veio de Yoriaki Oomori, chefe de um poderoso clã ao nordeste de Shizuoka e também construtor do castelo de Odawara. Há para ele um monumento especial e preces mensais de gratidão.

Muitos samurais praticaram nesse templo-mosteiro, e o décimo sucessor foi um dos netos de Yoriaki.

Todos os meses, na noite do dia 26, há também uma cerimônia rara e especial. Oferta de preces, luzes de velas, incenso e alimentos a Doryo Satta, ao ar livre, sob o som de conchas, sinos e tambores.

É um lugar dedicado à celebração da vida.

Mãos em prece.

– *Monja Coen*

Ano 10 • nº 36

Abril/maio/junho de 2011 – Ano Buda 2577

Japão[6]

Quando voltei ao Brasil, depois de ter residido por doze anos no Japão, me incumbi da difícil missão de transmitir o que mais havia me impressionado no povo japonês: *kokoro*. *Kokoro* ou *shin* significa *coração-mente-essência*. Como educar as pessoas a ter sensibilidade suficiente para sair de si mesmas, de suas necessidades pessoais, e a se colocar a serviço e à disposição do grupo, das outras pessoas, da natureza ilimitada? Outra palavra é *gaman*: *aguentar*, *suportar*. Educação para ser capaz de suportar dificuldades e superá-las.

Assim, os eventos de 11 de março de 2011 no nordeste japonês surpreenderam o mundo de duas maneiras. A primeira, pela violência do tsunami e dos vários terremotos, bem como pelos perigos de radiação das usinas nucleares de Fukushima. A segunda, pela disciplina, ordem, dignidade, paciência, honra e respeito de todas as vítimas. Filas de pessoas passando baldes, cheios e vazios, de uma piscina para os banheiros.

---

6. Texto publicado originalmente na revista *Viagem & Turismo* (seção Concierge, abril de 2011), em versão resumida.

Nos abrigos, a surpresa das repórteres norte-americanas: ninguém queria tirar vantagem de ninguém. Todos compartilhavam cobertas, alimentos, dores, saudades, preocupações, massagens. Cada qual se mantinha em sua área. As crianças não faziam algazarra, não corriam nem gritavam, mas se mantinham no espaço que a família havia reservado.

Ninguém furava as filas para assistência médica – e quantos ali precisando de remédios! Todos aguardavam sua vez para usar o telefone, receber atendimento médico, água, alimentos, roupas e escalda-pés singelos, com pouquíssima água.

Compartilhavam também o resfriado, a falta de água para higiene pessoal e coletiva, a fome, a tristeza, a dor, a perda das verduras, de leite, a morte.

Nos supermercados lotados de gente e esvaziados de alimentos não houve saques, mas a resignação da tragédia e o agradecimento pelo pouco recebido. Ensinamento de Buda, hoje enraizado na cultura e chamado de *kansha nokokoro*: *coração de gratidão.*

Sumimasen é outra palavra-chave, que significa *me desculpe, sinto muito, com licença.* Por vezes, parecia a mim que as pessoas pediam desculpa por viver. Me desculpe por causar preocupação, me desculpe por incomodar, me desculpe por precisar falar com você, por tocar à sua porta. Me desculpe pela minha dor, pelas minhas lágrimas, pela minha passagem, pela preocupação que estamos causando ao mundo. *Sumimasen.*

Quando temos humildade e respeito, pensamos nos outros, nos seus sentimentos e necessidades. Quando cuidamos da vida como um todo, somos cuidadas e respeitadas. O inverso não é verdadeiro: se pensar primeiro em mim e só cuidar de mim, perderei. Cada um de nós, cada uma de nós é o todo manifesto.

Acompanhando as transmissões pela TV e pela internet, pude pressentir a atenção e o cuidado com os espectadores: mostrar a realidade sem ofender, sem estarrecer, sem causar pânico. As vítimas encontradas, vivas ou mortas, eram gentilmente cobertas pelos grupos de resgate e delicadamente transportadas – quer para as tendas do exército, que serviam de hospital, quer para as ambulâncias, helicópteros e barcos que os levariam aos hospitais. Análises da situação por especialistas, informações incessantes a toda a população pelos oficiais do governo e a noção bem-estabelecida de que "somos um só povo e um só país".

Telefonei várias vezes aos templos por onde passei e recebi telefonemas. Diziam-me do exagero das notícias internacionais, da confiança nas soluções que seriam encontradas, e todos me pediram que não cancelasse nossa viagem em julho próximo.

Aprendemos com essa tragédia o que Buda ensinou há 2.500 anos: a vida é transitória, nada é seguro neste mundo, tudo pode ser destruído em um instante e reconstruído novamente. Reafirmando a Lei da Causalidade, podemos perceber como tudo está interligado e que nós, humanos, não somos e jamais seremos capazes de salvar a Terra. O planeta tem seu próprio movimento e vida. Estamos na superfície, na casquinha mais fina. Os movimentos das placas tectônicas não têm a ver com sentimentos humanos, com divindades, vinganças ou castigos. O que podemos fazer é cuidar da pequena camada produtiva, da água, do solo e do ar que respiramos. E isso já é uma tarefa e tanto.

Aprendemos com o povo japonês que a solidariedade leva à ordem, que a paciência leva à tranquilidade e que o sofrimento compartilhado leva à reconstrução. Esse exemplo de solidariedade, de bravura, de dignidade, de humildade e de respeito aos vivos e aos mortos ficará impresso em todos os que acompanharam os eventos que se seguiram a 11 de março.

Minhas preces, minha solidariedade, minha ternura e minha imensa tristeza em testemunhar tanto sofrimento e tanta dor de um povo que aprendi a amar e respeitar.

"Havia conhecidos em meio à tragédia?", me perguntaram. E só posso dizer: todos. Todos eram e são pessoas de meu conhecimento. Com elas aprendi a orar, a ter fé, paciência, persistência. Aprendi a respeitar meus ancestrais e a linhagem de budas.

Mãos em prece.

– Monja Coen

Nascimento de Buda

O dia 8 de abril foi considerado pelos eruditos japoneses como a data correspondente ao nascimento de Sidarta Gautama, o príncipe que se tornaria Xaquiamuni Buda. *Xáquia* era o nome de seu clã. *Muni* significa sábio. Buda é o Ser Iluminado, a pessoa que desperta para a verdade, compreendendo o verdadeiro significado de vida-morte.

As tradições budistas de origem japonesa levam em consideração três datas importantes, como resultado de pesquisas históricas:

- 8 de abril: Nascimento de Sidarta;
- 8 de dezembro: Iluminação (Sidarta se torna Buda);
- 15 de fevereiro: *Parinirvana* de Buda (morte física de Sidarta).

Essas são também as datas que nós, da tradição Soto Zen Shu, celebramos e convidamos todos a celebrar conosco.

Por conta de diversos fatores, um concílio de várias tradições budistas decidiu criar o Vesak, festival no qual se comemoram simultaneamente, na lua cheia de maio, o nascimento, a Iluminação e o *Parinirvana* de Buda.

Na praça da Liberdade, em São Paulo, é comemorado na semana do dia 8 de abril o *Hanamatsuri* – Festival das Flores –, em homenagem ao nascimento de Buda. Segundo os textos sagrados, na ocasião do nascimento de Buda todas as flores desabrocharam no jardim de

Lumbini, e do céu caiu uma chuva suave e adocicada. Por isso os altares são cobertos de flores e é hábito banhar o buda bebê com chá doce.

Em São Paulo, essa é uma festa municipal. Em âmbito estadual, o Vesak acontece no terceiro domingo de maio, coincidindo com o Dia das Mães.

Buda é o primeiro dos Três Tesouros, as três preciosidades sagradas.

Um de seus aspectos é Xaquiamuni Buda, o Buda histórico, que viveu na Índia há 2577 anos, segundo pesquisadores japoneses. Outro aspecto é o Buda cósmico, a Natureza Buda, Iluminada, presente em cada partícula do multiverso.

O corpo do *Darma*, dos ensinamentos, é o segundo tesouro e, ao mesmo tempo, mais uma manifestação de Buda. O grupo de praticantes e seguidores, a *Sanga*, é a terceira joia e, ao mesmo tempo, outro aspecto de Buda.

Buda não existe separado do *Darma* (Lei Verdadeira) nem da *Sanga* (comunidade de monges e monjas, leigos e leigas praticantes e seguidores dos ensinamentos do Buda-*Darma*).

Nos ensinamentos de Xaquiamuni Buda há várias denominações e manifestações búdicas. Buda Xaquiamuni comenta sobre os budas do passado – como Buda Amida ou Amitaba, o Buda da Luz Infinita; Vairochana Buda ou Dainichi Nyorai, Grande Sol; e o Buda da Medicina, Yajushi Nyorai. Os ensinamentos falam também sobre futuros budas, tão numerosos quanto os grãos de areia no Ganges, e fazem predições sobre inúmeros futuros budas, mencionando também Maitreya Buda, símbolo do Buda do futuro.

No templo-sede de Eiheiji, na província de Fukui, a sala de Buda contém três imagens idênticas: Buda do presente, Buda do futuro e

Buda do passado. Ou seja, sempre há, sempre houve e sempre haverá budas, seres iluminados, plenos de sabedoria e compaixão, que vêm ao mundo apenas para libertar os seres do sofrimento da ignorância e conduzi-los ao *Nirvana* – estado de paz, tranquilidade e sabedoria profundas.

Você já encontrou Buda?

Você reconhece Buda em ações, palavras e pensamentos?

Buda nasce de *Prajna Paramita*, da sabedoria completa e perfeita.

Viva a sabedoria perfeita e completa em cada instante de sua vida e você se surpreenderá ao encontrar Buda face a face.

Pratique como Buda e deseje encontrá-lo com todo o seu ser. Faça *zazen*, siga os preceitos e desenvolva a Sabedoria Suprema.

Homenagem a todos e todas as budas do passado, do futuro e do presente.

Mãos em prece.

– Monja Coen

Ano 10 • nº 37

Julho/agosto/setembro de 2011 – Ano Buda 2577

Do Japão ao Brasil: o *Darma* de Buda

Aoyama Shundo Docho Roshi recebeu-me por cerca de uma hora. Contou-me de sua ida, em junho, para a Tailândia. Suas palestras não são necessariamente sobre a posição das mulheres e das monjas nas tradições budistas, mas o fato de Aoyama Shundo Docho Roshi ter feito palestras na Tailândia é a manifestação de uma transformação profunda em um país onde as mulheres que renunciam à vida familiar não são aceitas completamente como monásticas.

Embora nosso encontro, se medido em minutos, possa ser considerado curto, foi longo e profundo em conteúdo.

Ela comentou sobre sua tarefa atual, de ser a mestra de preceitos nas grandes cerimônias dos mosteiros-sede de Eiheiji e de Sojiji, no Japão. Esse encargo antes só era confiado a homens, monásticos de alto grau de realização. O fato de Aoyama Roshi ser a primeira monja nessas funções é muito importante para todas as monjas (e monges), todas as mulheres (e homens), em todos os recantos da Terra.

Sorvendo a chávena do delicioso e bem-preparado chá-verde (machá), depois de havermos compartilhado um doce especial, ainda

tive a honra de ouvi-la comentar sobre um dos atuais abades-chefes (Zenji-sama):

> “Antes de se tornar Zenji, o reverendo monge, que foi meu colega de pós-graduação em estudos budistas na Universidade de Komazawa (Universidade da Soto Shu, com sede em Tóquio), certa tarde me telefonou. Queria meus comentários sobre o Caso Dois do Shoyo Roku (*Anais do Penhasco Azul*). Como pude abrir espaço em minha agenda, em poucos minutos ele chegou ao nosso mosteiro.
>
> Fui recebê-lo de maneira informal – afinal, era um colega de turma. Ele, entretanto, vestia o manto e, ao me ver, fez três reverências completas, pedindo pelos ensinamentos. Fiquei surpresa e honrada.
>
> Não estou dizendo isso para me vangloriar. São aspectos dos meus encargos atuais, e o faço para que todas as monásticas possam ser igualmente consideradas e respeitadas.”

Eu a ouvia com muito respeito, pois a conheço da intimidade do convívio intenso, diário, de oito anos no mosteiro. Ela sempre foi a primeira a se levantar e a última a se deitar. Recebendo pessoas, orientando, escrevendo livros, respondendo cartas, atendendo a telefonemas, participando de reuniões e encontros, dando palestras, ensinando *zazen* e nos recebendo em seus aposentos com as nossas insuficiências e insistentes reclamações. Nunca houve nada que a desabonasse. Nunca a vi raivosa, rancorosa. Trata todos e todas com respeito e mantém a dignidade simples de uma verdadeira abadessa, de uma grande mestra.

Antes de sua entrada na sala, eu a esperava sentindo o calor dos raios de sol das quatro horas da tarde em Nagoya, no início da primavera. Pela janela via o jardim, o nosso jardim. O jardim de onde tirei matinhos, varri folhas e ouvi o som dos pássaros. Estavam todos lá: a grande árvore, agora verdejante, um tantinho mais velha. Os varais com quimonos pendurados – assim como eu um dia fiz. Melancolia de um passado que não voltará jamais. Evitava me sentar por muito tempo em *seiza*, posição da qual me desacostumei após dezessete anos no Brasil.

Já estávamos tomando o chá-verde de folhas novas e um biscoito salgado de arroz quando a jovem monja veio avisá-la que outro convidado chegara.

Assim nos despedimos. Ela teria de partir naquela mesma noite, de volta ao seu templo em Nagano, para um dia de *zazen* e palestras. Voltara naquela tarde de Akita, bem no norte do Japão, onde fizera palestras do *Darma*.

Presenteou-me com seu novo livro. A dedicatória explicou-me mais tarde, quando refazia um arranjo de flores na sala de palestras formais: "O que cai, novamente se levanta. A flor que murcha se torna adubo para uma nova flor".

Deixei com ela a monja Zentchu, que feliz aprende japonês e as maneiras de ser monja com outras vinte noviças. Zentchu-san e eu voltávamos da cerimônia memorial de dezessete anos para Maezumi Roshi, meu mestre de ordenação no Zen Center of Los Angeles. Havia mais de cem convidados no templo Kirigaya, em Tóquio. Monges, monjas, leigos e leigas do Japão, da Europa, dos Estados Unidos e do Brasil.

Maezumi Roshi foi homenageado e relembrado por seus amigos, irmãos, familiares, discípulos e netos-discípulos. O monge Tenkei, da Holanda, seu neto no *Darma*, oficiou a cerimônia. Depois das palavras finais, um mestre de Shamisen silenciou palavras e o sentimento puro nos uniu.

Houve festa, cumprimentos, poesias, música, entretenimento.

Maezumi Roshi (Koun Taizan Hakuyu Daioshô), receba aqui também a nossa homenagem no voto diário de seguirmos os ensinamentos de Buda, na prática incessante e no compromisso de transmitir o Verdadeiro *Darma*.

São os mesmos votos que fiz ao meu mestre de transmissão, Zengetsu Suigan Daioshô (Yogo Roshi), e que faço também à Buda Viva Kakuzen Shundo Daioshô (Aoyama Roshi).

Agradecendo a todos os monges e monjas, leigos e leigas que tornam possível hoje nossa prática aqui no Taikozan Tenzui Zenji.

Mãos em prece.

– Monja Coen

Obon Urabon Bon Festival

Desde o século 8 até hoje, há uma série de práticas budistas baseada no ritual de alimentar espíritos famintos, de cuidar dos espíritos dos ancestrais e de pessoas falecidas da família. Essas práticas são derivadas de um sutra conhecido como *Urabonkyo*, em japonês. O *Ullambana Sutra* é considerado um texto apócrifo – isto é, que teria sido supostamente escrito na Índia, mas foi na verdade escrito na China. É desse sutra que deriva o nome do festival. *Urabon* é abreviado para *Bon*, e a vogal *O* é honorífica.

O sutra *Ullambana*, ou *Urabonkyo*, foi provavelmente escrito na China no século 6 e ajudou a *Sanga* budista a se estabelecer como participante dos hábitos chineses de adoração aos ancestrais. Mas também se baseava em precedentes indianos sobre a ideia de dedicar mérito para auxiliar os espíritos dos ancestrais das pessoas que mantinham a *Sanga*.

Eruditos debatem sobre a etimologia do termo budista em sânscrito, *ullambana*, mas sua derivação permanece obscura. Uma das teorias é de que se origine do sânscrito *Avalambana*, que significa *estar pendurado de cabeça para baixo* – possível referência aos estados dolorosos de espíritos deixados pendurados: aqueles que não tinham descendentes vivos para fazer-lhes ofertas rituais.

Outra teoria é a de que *ullambana* vem de *uruban*, uma palavra persa para os espíritos dos mortos. A etimologia folclórica é que *ullambana* se refere às tigelas utilizadas para fazer ofertas aos espíritos, e que os chineses teriam acrescentado outra pincelada no caractere para corresponder ao som de *ullambana*.

De qualquer maneira, o *Ullambana Sutra* ensina o modo tradicional de adoração ancestral chinesa, que envolve oferecer alimentos (*kuyo*) aos espíritos, colocando comida e bebida no altar. No entanto, essas oferendas não podem ser absorvidas pelos ancestrais se seus carmas tiverem sido negativos ou se eles tiverem se tornado espíritos famintos.

O sutra ilustra esse ponto com a história do monge Mokuren (*Maudgalyayana* em sânscrito), cuja mãe havia renascido como um espírito faminto, incapaz de receber as ofertas que ele fazia. Para ser verdadeiramente filial, segundo o sutra, ele deveria primeiramente fazer doação aos monges e monjas – o mais fértil campo de mérito –, criando, assim, carma positivo para usar essa força ao fazer ofertas aos seus ancestrais e dar a eles um estado de existência mais feliz. Segundo o sutra, Xaquiamuni Buda diz o seguinte a Mokuren:

> “No décimo quinto dia do sétimo mês, dia no qual os budas se alegram, dia no qual os monges e monjas saem do treinamento intensivo, devem ser colocados alimentos e bebidas de um dos cem sabores dentro de uma tigela *yulan* e doados aos monásticos nas dez direções.
>
> Quando as preces terminarem, os pais obterão longa vida, passando cem anos sem doenças e sem nenhuma espécie de sofrimento, enquanto sete gerações de ancestrais deixarão os estados de

sofrimento, de espíritos famintos, obtendo renascimento entre divindades e seres humanos com bênçãos ilimitadas. ”

O *Ullambana Sutra* explicava a prática de alimentar espíritos famintos (*segaki*), também conhecida como “salvar as bocas queimantes”. Essa prática tornou-se tremendamente popular do século 7 em diante, e ajudou a associar a *Sanga* budista aos hábitos chineses de adoração ancestral. Isso ajudou a reduzir as críticas aos monges e monjas celibatários, que não geravam descendentes para cuidar de seus ancestrais.

Durante esse festival dos espíritos, a *Sanga* também se promovia como uma organização de caridade, cuidando e aplacando espíritos potencialmente perigosos, que, sem família, poderiam assaltar o estado imperial e a população em geral.

Alimentar os espíritos famintos também exprime o ideal Mahayana da Compaixão Universal e envia a mensagem de que a família de Buda inclui todos os seres vivos.

A data tradicional para o Festival de Obon é o décimo quinto dia do sétimo mês pelo calendário lunar chinês. Desde que o Japão adotou o calendário gregoriano, algumas partes do país o celebram no dia 15 de agosto – a data mais próxima de 15 de julho do calendário lunar. Outros o celebram no próprio dia 15 de julho.

Segundo a crença popular japonesa, Obon é a época em que os ancestrais retornam para visitar o mundo dos vivos, devendo ser cumprimentados com grande respeito. As pessoas limpam os túmulos da família e fazem ofertas de frutas, flores, velas e incenso. Convidam monges e monjas às suas casas para fazerem a leitura de sutras e serviços memoriais em frente aos tabletes (*ihais*) dos falecidos.

Uma vez que os espíritos precisam ser orientados através da escuridão, algumas vezes lanternas ou candelabros são acesos nos túmulos. Em algumas comunidades, velas são colocadas em barquinhos de papel e jogadas nos rios. Na cidade de Kyoto, um grande fogo é aceso na montanha com a forma do caractere Grande (*Dai*). Durante a semana de Obon, a maioria dos templos faz as preces em um altar especial, para os espíritos dos três mundos (*Sangai no banrei*), e entoa o *Kanromon* (*Portal do Doce Néctar*). O mérito é dedicado aos espíritos dos falecidos.

Nessa época do ano, os familiares se reúnem na casa do irmão (ou irmã) mais antigo, ou mais próxima da casa ou do túmulo dos ancestrais. Há muita alegria, alimentos especiais da época (verão no Japão) e a dança tradicional de roda, para que os falecidos vejam como a família está bem e feliz, saudável e contente, e possam, assim, ficar em paz.

Nas casas, os tabletes memoriais (*ihais*) são colocados em um altar especial.

Lembrem-se de invocar seus ancestrais, de fazer ofertas e preces, vir ao templo e agradecer por suas vidas, dançando e cantando com alegria.

Mãos em prece.

– *Monja Coen*

Ano 10 • nº 38

Outubro/novembro/dezembro de 2011 – Ano Buda 2577

Dez anos de comunidade

Dez anos de prática incessante

Dez anos de gratidão

No dia 14 de novembro, completaremos dez anos da fundação oficial da Comunidade Zen Budista Zendo Brasil.

É momento de recordar e agradecer.

Agradecer àquelas pessoas que se uniram por acreditarem na prática do zen e na continuidade dos estudos do *Darma* sob minha orientação.

Pioneiras e pioneiros são pessoas estranhas. Não se importam em praticar sentados no chão, com pouco conforto, nem em dormir em colchonetes finos e com cobertores ásperos.

Aceitam os alimentos oferecidos sem reclamar.

Acolhem os ensinamentos, mesmo na imaturidade de quem os transmite.

Dogen Zenji Sama recomendava que, ao encontrarmos um mestre ou uma mestra do *Darma*, não devemos julgar seu nascimento ou origem. Não devemos dar atenção às suas faltas e erros, mas apreciar o

Darma de Buda. Os ensinamentos podem estar enfraquecidos, diluídos como leite misturado à água. Todavia, nenhum outro diluente é permitido. E é esse leite aguado que tenho sido capaz de oferecer a todos. Quisera poder oferecer o néctar celestial do *Darma* Supremo!

Nesses dez anos, nossa comunidade cresceu e se modificou.

Todos nós nos transformamos.

Um certo amadurecimento natural, resultante da prática incessante do Caminho.

Em fevereiro, celebramos o Memorial de Sete Anos para Koshin Shozan Osho, o monge que me trouxe ao Brasil e que tanto me ajudou a formar uma *Sanga* brasileira, a criar cursos de budismo, de preceitos, a ensinar a costurar os mantos monásticos e laicos, a oficiar liturgias e a transmitir o selo da mente iluminada.

Em maio, foi a data dos dezessete anos de morte de Koun Taizan Hakuyu Daioshô, Maezumi Roshi, meu mestre de ordenação monástica.

Em dezembro, será a vez de celebrar também os dezessete anos de morte de Zengetsu Suigan Daioshô, meu mestre de transmissão.

Como agradecer a eles e a ela, Aoyama Shundo Docho Roshi, abadessa do mosteiro de Nagoya, que me acolheu como uma de suas discípulas?

Só vejo um caminho: estudo e prática do *Darma*, transmissão dos preceitos, construção de uma cultura de paz e sensibilização do maior número possível de pessoas para valores éticos e morais.

A gratidão a meus mestres e amigos monásticos mais próximos se estende ao mestre Dogen, ao mestre Keizan, à primeira monja histórica, Mahaprajapati Daioshô, a todos os monges e monjas da linhagem e especialmente ao nosso mestre original fundador, Xaquiamuni Buda.

Somos muito pequeninos. Nossa comunidade tem menos de duzentas pessoas inscritas como praticantes assíduos. Mas é para mim como uma plantinha sagrada, que precisa de cuidados e ternura, de conforto e harmonia.

Muitas pessoas têm vindo e têm ido embora. Algumas ficam por mais tempo; outras já estão na *Sanga* há mais de dez anos.

Sou grata a todas as pessoas que se aproximaram, se interessaram, que fizeram perguntas, que participaram, que me convidaram para eventos, palestras, aulas, programas de rádio e televisão, que doaram papel e tipografia para nosso jornal, que doaram trabalho profissional e tempo para nossas publicações. A todos e a todas que receberam os preceitos laicos e monásticos – a joia preciosa, o tesouro da *Sanga* de Buda.

A lista é grande. A gratidão é maior ainda. E estamos apenas começando.

Que essa semente zen do *Darma* de Buda possa se desenvolver plenamente, e que todos e todas que venham a entrar em contato com ela possam alcançar o Caminho Iluminado.

Mãos em prece.

– Monja Coen

Ano 11 • nº 39

Janeiro/fevereiro/março de 2012 – Ano Buda 2578

Ano Buda 2578 – Dragão Celestial

Chegamos aqui.

Entre mortos, mortas, feridos e feridas, chegamos aqui.

Houve tsunamis, terremotos, guerras, acidentes, vulcões, erupções, ventos, ciclones.

Muitas pessoas foram levadas, arrastadas, engolidas, desaparecidas.

Nós ficamos.

Estamos aqui.

Continuamos a caminhada.

Com tropeços, feridas, mancando e nos arrastando – chegamos aqui.

Há os mais fortes e destemidos, que saltaram os obstáculos, mas até quando saltarão?

Transitoriedade.

Velhice, doença e morte.

E depois da morte? Como será?

E depois da vida? Como será?

Estamos aqui.

Onde estamos é o local sagrado e precioso.

Nossa vida.

Minha vida, sua vida, nossa vida.

Viver é perigoso e, por isso, delicioso.

Cada instante de vida

Nunca é mais,

É sempre menos.

Desde o instante em que se nasce

Já se começa a morrer.

(Cassiano Ricardo)

Nesta caminhada sem começo e sem fim,

Nada surge e nada desaparece, apenas é.

Quero agradecer a todas as pessoas que acreditaram e partilharam suas vidas-mortes com a nossa comunidade durante o ano Buda de 2577 (2011). Continuemos.

Cada dia, um novo dia (poema japonês).

Cada ano, um novo ano.

Além do bom e do ruim.

Muito além do certo e do errado.

Algumas pessoas se vão, outras vêm chegando.

Impermanência.

Sem lágrimas e sem excessos de alegria.

Sejam aqui sempre bem-vindas e vindos bem.

As portas do templo Taikozan Tenzui Zenji estão abertas a todas as criaturas que queiram partilhar o *Darma*, praticar o *Darma*, penetrar o *Darma*, com esforço correto e determinação adequada.
O *Darma* de Buda.

Cada instante, um novo instante.
Façamo-lo perfeito na sua perfeição.
Meu melhor deixa muito a desejar.
O que é ir além do desejo?
O melhor de agora é a perfeição aqui.

Sorria.
Apreciando cada instante perene.
Cuidando da terra, dos céus, dos mares e dos ares.
Sorrindo suavemente.
Suave mente.
Mente Buda, mente de libertação.
Senhor e senhora de si mesmo, de si mesma.
Quem pode julgar e decidir sua vida?
Torne-se líder de si mesma, de si mesmo e
Conhecerá a bênção da Iluminação Suprema.
Apenas ser, sendo, *intersendo*.

Que todos os seres possam encontrar a mesma sabedoria e compaixão de todas as iluminadas formas de vida.
Que o diálogo se torne a maneira sábia de falar.
Que não joguemos espinhos e farpas, mas possamos presentear o mundo com ternura e sapiência.
Gratidão por chegarmos aqui, até aqui.

Renovamos, assim, nossos votos de:

Nunca fazer o mal;

Sempre fazer o bem;

Sempre fazer o bem a todos os seres.

Que o ano do Dragão nos dê forças para superarmos nossos próprios obstáculos e adentrarmos – profunda mente – o Caminho de Buda.

Mãos em prece.

– Monja Coen

Ano 11 • nº 40

Abril/maio/junho de 2012 – Ano Buda 2578

Voto de Bodisatva

« Podemos viver pelo voto ou podemos viver pelo ego. »

Aoyama Shundo Docho Roshi, superiora do Mosteiro Feminino de Nagoya (Aichi Senmon Nisodo), definitivamente é alguém que vive pelo voto. Em suas palestras, insiste sempre nessa diferença: aquele que vive de maneira egoica sofre e causa sofrimento à sua volta. Pensa tanto em si que não consegue sair de si mesmo. Já quem vive pelo voto pensa primeiro em como beneficiar as outras pessoas, as outras formas de vida e, assim, beneficia também a si mesmo. Basta praticar o olhar Buda, o olhar grande, vasto, iluminado, claro, sábio e terno. Esse é o voto de salvar, de libertar todos os seres. Eu voto, eu faço esse voto.

« Seres são inumeráveis, faço o voto de salvá-los. »

Como salvar todos os seres? É praticamente impossível. Será que não são todos os seres que nos salvam, nos libertam, nos sustentam, nos mantêm? Como viver separados se convivemos com tudo o que existe, existiu e existirá?

A convivência é sagrada, iluminada. Precisamos estar juntos, escolher bem nossas palavras, gestos, pensamentos, práticas espirituais, filosóficas, esportivas e assim por diante.

Em uma dessas tardes ensolaradas de domingo, quando o outono-bebê ainda se aninhava no colo da tarde, conversava com um jovem esportista sobre a importância da equipe. "Cada pessoa, por mais treinada e forte que seja, tem seu papel no grupo e, se cada pessoa faz bem a sua parte, tudo transcorre em harmonia." Assim ele me disse, e como concordei! Mas nem sempre é assim. E, quando não é assim, temos acidentes de percurso.

Vivenciar o voto. Tornar-se o voto de salvar, de libertar, de apoiar, de facilitar, de melhorar, de cuidar da vida. Que é a nossa vida, a de todas nós, criaturas humanas. Nós não sobrevivemos sem as outras formas de vida. Sem o sol, o céu, as águas, a terra, os minerais, as árvores, as plantas, os animais, as pessoas agradáveis – e também as desagradáveis. Tudo o que existe.

Viver o voto é apreciar a diversidade. Tantas formas de vida entrelaçadas, entrecruzadas. Não mais as cruzadas das armas que ferem, mas as cruzadas dos caminhos de luz, linhas multicoloridas e brilhantes, que respeitam todas as cores dos raios luminosos da multiplicidade da vida. Em cada intersecção, uma joia emitindo raios luminosos em todas as direções.

Somos essa rede, essa teia. Seres humanos pequeninos e ávidos pelo saber, pela ternura, pelo poder, pela loucura. Somos uma grande família plural. Cada qual com sua rede de percepções, sensações, conexões neurais, consciências. Não somos iguais. Somos *semelhantes*. Reconhecemos alegrias, tristezas e podemos – devemos – interferir com sabedoria e compaixão.

> “Apegos são inexauríveis, faço o voto de extingui-los”

Como é difícil extinguir os apegos. Podemos nos apegar ao desapego, e temos de nos desapegar do desapego. Abrir as mãos é permitir que todo o pluriverso nelas repousem. Pegar, segurar, querer manter estático um só átomo que seja é fechar, limitar.

Viver o voto.

> “Portais do ***Darma*** são inumeráveis, faço o voto de apreendê-los”

Portais do *Darma*, entradas para a grande verdade, para a Lei Verdadeira, são tantos e tantos. Faço o voto de apreendê-los, de penetrá-los, de me tornar esses portais, de ser esses portais. Cada obstáculo se torna uma entrada para a Verdade Suprema. Os rosários budistas, de 108 contas, simbolizam os 108 obstáculos à Iluminação. A prece, o revolver do rosário, o entoar um nome sagrado ou um mantra em cada conta do *juzu* (*rosário* em japonês) ou *mala* (como é chamado na Índia) é a prática do esforço sem esforço de transpor, de transformar obstáculos em portais.

> “O Caminho de Buda é insuperável,
> faço o voto de me tornar esse Caminho”

A última linha do poema dos *Votos de Bodisatva* é a síntese das outras três linhas. O Caminho de Buda, a maneira de viver a vida com sabedoria e compaixão, é a vida superior, a melhor maneira de viver – acima dessa forma não há outra forma. Por isso, fazemos o voto de nos tornar esse Caminho. Passo a passo – quer lento ou acelerado – é o Caminho. Cada gesto, palavra, pensamento. Cada emoção e cada resposta, se desenvolvermos a capacidade meditativa apreciativa, poderão se basear no discernimento correto.

O voto se manifesta em nossa vida na dieta adequada, na procura de especialistas nas áreas de nosso aprendizado e interesse, na confiança, na fé e na entrega aos sistemas aos quais nos devotamos. Podem ser sistemas financeiros, sistemas de treinamento funcional para atividades físicas, para corrida, sistemas de crenças, sistemas filosóficos, sistemas de vida e sistemas não sistemáticos, mas todos de alta complexidade.

Repetindo as palavras iniciais de Aoyama Shundo Docho Roshi: "Podemos viver pelo voto ou pelo ego". Qual a sua escolha?

Viver pode ser uma experiência maravilhosa se houver entrega, se fizermos o voto altruísta, se nos envolvermos no bem coletivo em vez do bem individual, se sairmos da dualidade e penetrarmos a unidade. Faça o voto. Viva o voto. Não se anule. Vote, acenda lâmpadas votivas, faça o voto de fazer o bem a todos os seres e viva feliz.

Mãos em prece.

– Monja Coen

Minha primeira corrida

Cinco quilômetros.

Será que eu conseguiria chegar inteira?

A largada e a chegada seriam na praça do Estádio Municipal do Pacaembu. Essa praça foi, na minha infância, meu quintal. Andava de bicicleta, corria com os meninos vizinhos, sempre machucava o braço ao sair correndo para olhar os fogos de artifício que meu pai trazia nas festas juninas – lindos, coloridos, silenciosos.

E a praça era meu desafio. Havia treinado nela, mas nunca havia corrido pela avenida. Como saberia a hora de voltar?

Minha assessora, Mônica Peralta, apenas dizia: "Você vai ver. Vai ter alguém lá". E se eu me perdesse e entrasse na Meia Maratona Internacional de São Paulo?

Ufa! Ela estava certa. Meu local de partida era entre os de pulseirinha – os últimos, as últimas pessoas a sair. Tudo bem. Minha assessora havia dito que eu deveria sair nos fundos e manter o ritmo. Ela me acompanhou. Mônica Peralta de um lado e, do outro, Edson Morais, o Zenso, praticante zen.

Antes da prova, encontrei outras pessoas conhecidas que iriam correr. Pessoas que eu nem sabia que corriam.

No dia anterior, fui comer massa. Dormi cedo. Acordei às cinco horas. Tomei café da manhã com banana e aveia, uma colher de mel, um pedaço de pão sem queijo, nada de laticínios. Água, boa e santa água fresca.

Quando cheguei à praça, a barraca da Peralta Sports me esperava. Lá havia outras pessoas, gordinhas como eu. Ah! Já me senti melhor. Fizemos alongamento, aquecimento.

A organização da prova havia me pedido para dizer algumas palavras. Foi logo depois da saída da elite feminina. Lá fui eu, de tênis, *legging* e camiseta com o número afixado por pequenos alfinetes de gancho – que o professor da Peralta Sports colocara para mim, bem como o chip no tênis. Este, bem amarrado, com dois laços, um sobre o outro. Peguei o microfone meio sem jeito. O que dizer para aqueles atletas todos? A elite masculina bem ali, na minha frente. A praça lotada de pessoas que vieram para correr. Falei da paz, da saúde e da alegria de estarmos ali.

Eu estava muito alegre.

Depois me posicionei lá no fundão. A largada foi quase uma caminhada. "Ué, será que só vai dar pra caminhar?", pensei. Era tanta gente!

Havia um jovem forte com uma prancha de surfe. Ele iria surfar nessa corrida. Fácil para ele. Havia um corredor de elite que iria apenas treinar os cinco quilômetros.

Soube de uma pessoa que iria correr 36 quilômetros. Ela começaria a prova depois de quinze quilômetros percorridos. Quanta novidade!

Tênis e roupas de todas as cores e modelos. Pessoas magras e musculosas. Pessoas gordas e flácidas. Pessoas altas e baixas. Homens, mulheres, algumas crianças (vi duas) com seus pais. O Homem-Aranha, o que corria como o Senna, o idoso com a bandeira do Brasil. Fomos descendo a avenida Pacaembu. Muita gente me ultrapassou, mas eu nem liguei. Continuei no meu ritmo, acompanhando a porcentagem adequada dos meus batimentos cardíacos. Mônica Peralta me aconselhou a mantê-los sempre abaixo dos 90%. Certo momento, notei que estavam a 115%, mas logo esse número baixou. "Nossa, tem que passar pelo túnel? Onde será que a gente vai começar a voltar?"

Água fresca. Beber e jogar água na cabeça. Pelo bem de Buda, careca, recebendo diretamente a refrescante água. Fomos chegando de volta. Uma ladeira enorme, que sempre me pareceu plana e agora era uma superladeira. Que interessante. Fechando nas curvas, lá fui eu. Ultrapassei algumas pessoas. Mas havia tanta gente. Outras, não deu para passar. E, no fim, cheguei. De braços para cima, sorrindo, feliz.

Muito feliz e muito grata, principalmente à minha assessora, Mônica Peralta, que me fez perceber que eu podia, que eu conseguiria.

Chegada da elite feminina. Aplausos, festa.

Chegada da elite masculina. Aplausos, alegrias.

O pódio.

Comendo sanduíche de queijo branco e peito de peru no pão integral, água fresca e maçã. Frutas, uvas, na barraca da Peralta.

Fotos, aplausos. Vontade de continuar correndo, de correr de novo, de correr mais.

Encontro Edu na tenda, como se nem tivesse corrido 21 quilômetros. Tranquilo, como se houvesse chegado de carro. Espero pelas outras pessoas.

Faço parte da festa. Faço parte da corrida.

Leo se emociona e, comovido, chora.

Que bonito.

É tão bom viver.

E qual será a próxima corrida?

Correr faz bem ao corpo, faz bem à mente, faz bem a Buda.

Gassho.

– Monja Coen

Ano 11 • nº 41

Julho/agosto/setembro de 2012 – Ano Buda 2578

Inverno e primavera

Inverno tem começo, meio e fim. Primavera tem começo, meio e fim. O inverno não se torna a primavera. Cada estação tem sua posição, seu passado, seu futuro e existe no presente.

> A lenha se torna cinza e não volta a ser lenha. Mas a cinza não é *depois* e a lenha *antes*. Tanto a lenha como a cinza têm sua posição no *Darma* e têm seu passado e seu futuro. Ainda assim, atravessam passado e futuro.
>
> Da mesma maneira como a cinza não volta a ser lenha, uma pessoa após a morte não renasce. Logo, não diga que a vida se torna a morte. Esse é o caminho estabelecido pelo *Darma* de Buda. Por essa razão é chamado de não nascido.
>
> Morte não se torna vida. Isso é o girar da roda do *Darma*, estabelecido pelo *Darma* de Buda. Por essa razão, é chamado de não morto.
>
> Vida é o seu próprio tempo. Morte é o seu próprio tempo.
>
> *(**Genjokoan**, de mestre Eihei Dogen (1200-1253)*

Nascer-morrer é comum a todas as criaturas. Como apreciar cada instante incessantemente transitório e interligado a tudo?

Sem apego e sem aversão nos tornamos mais hábeis para lidar com alegrias e tristezas, com o nascimento e a morte, com o inverno e a primavera. Na plena presença, vivenciando o que é, assim como é. Budas Tatagatas apreciam cada instante perene.

Nessa época do ano, realizamos as cerimônias de Obon e de O-Higan-e. O Obon, no Japão, é a época das grandes reuniões familiares. Orando por nossos ancestrais e parentes falecidos, celebramos a vida e dançamos em círculo.

Agradecendo e demonstrando nossa intenção em dar continuidade (sustentabilidade) à vida em nossas vidas. É o momento de relembrar que estamos interligados, somos a ponte entre o passado e o futuro. Interdependemos de todas as formas de vida.

A visita do fundador da Zenpeacemaker Order, reverendo Bernie Glassman Roshi, e o Retiro de Rua, facilitado pelo reverendo Genro Gauntt Roshi, ambos no início de setembro, serão oportunidades de reflexão e experiência da mente do não saber, do testemunhar e do cuidar com ternura.

Olhar Buda, ótica iluminada, é a proposta de transcender o *eu* menor, egoico, individualista, e perceber a vida da Mãe Terra. Cuidar com ternura, sabedoria e compaixão e apreciar cada trinado dos pássaros urbanos – selvagens e livres.

Em julho, acontecerão os Jogos Olímpicos de Londres. Espírito esportivo é o de não violência, de amizade entre os povos, de respeito, de sentir o prazer de jogar, de demonstrar suas habilidades, de apreciar e celebrar a capacidade dos outros. Será que podemos ser assim em nossa vida diária? Será que podemos perceber e compreender as pessoas à nossa volta e não lutar? Não ferir nem sermos feridos?

Quando minha superiora me recebeu no mosteiro de Nagoya, nos idos dos anos 1980, ela me disse:

> “A prática monástica pode ser comparada a uma jarra fechada na qual colocamos várias pedrinhas. São de tamanhos diferentes, de formas diferentes, de estruturas diferentes. Cerramos a jarra e a sacudimos. As pedras se batem umas contra as outras. Aquelas que primeiro se arredondam não ferem nem são mais feridas.”

Parecia fácil... Mas levei oito anos para compreender e vivenciar a transformação e a aceitação nos ensinamentos de Buda.

Como colocá-los em prática? Como sentir verdadeira compreensão e compaixão por quem não nos compreende e pode até mesmo nos ofender? Se não houver um *eu*, quem ofende a quem?

A prática incessante do Caminho leva de uma margem a outra. Da margem da raiva, resmungo, birra, vingança, para a margem da ternura, compreensão, sabedoria e compaixão. São esses os *paramitas* (ou *haramitas*), que dão origem à cerimônia de O-Higan-e, celebrada no equinócio de setembro, quando dia e noite têm a mesma duração. Positivo e negativo em equilíbrio. Aproveitemos, pois, essa data, permitindo o funcionamento perfeito da mente de equidade – uma das características da mente Buda.

Iluminando e sendo iluminada, a mente Buda desabrocha em cada nova pétala.

No inverno, nos recolhemos e nos aprofundamos no *Darma*.

Na primavera, desabrochamos e expandimos o *Darma*.

Que todos se beneficiem.

Mãos em prece.

– ***Monja Coen***

Ano 11 • nº 42

Outubro/novembro/dezembro de 2012 – Ano Buda 2578

Budas ancestrais

Budas ancestrais sempre preservaram a essência do *Darma* Correto. Desde a Índia antiga, quando o jovem Sidarta abandonou seus bens materiais, seu palácio, esposa e filho e se entregou à vida errante de um peregrino. Há nas nossas ruas pessoas assim? Há alguém que abandonou tudo o que possuía e bem-queria à procura do significado da vida-morte? À procura de um alívio ao sofrimento humano?

No mês de setembro, 23 praticantes zen-budistas se atreveram a ficar quatro dias e três noites perambulando pelas ruas de São Paulo. Deixando seus compromissos tradicionais, casa, família, trabalho, confortos. Foram dormir sobre caixas de papelão, esmolar, ser ninguém. Seus mestres e mestras foram as pessoas em situação de rua. O que aprenderam? A humildade, a liberdade, a simplicidade e a interconectividade de tudo o que é. Voltaram com os olhos brilhando, unidos pela experiência comum que os fez sentirem-se uma família unida, uma *Sanga*.

Sanga é a comunidade em harmonia. *Sanga* era o nome dado aos discípulos e discípulas de Buda, leigos e leigas, monges e monjas. *Sanga* é a família que escolhemos para conviver. Pessoas cujas opiniões reconhecemos e acolhemos, compartilhamos e nos estimulamos na prática incessante do Caminho.

O fundador do Zen Peacemakers, reverendo Bernie Tetsugen Glassman Roshi, esteve em São Paulo alguns dias antes do Retiro de Rua. Palestrou, mas, como disse, apenas deu sua opinião. Tão importante essa pequena diferença de palavra. Opinião. Há tantas, temos tantas opiniões, e estas podem mudar. Nada fixo, nada permanente. Sem apegos e sem aversões é o Caminho. Nem sempre conseguimos. Quase conseguimos algumas vezes. Porém, jamais desistimos.

"Cair sete vezes é levantar-se oito vezes." Frase de BodiDarma? Assim o dizem. No dia 5 de outubro, celebramos sua memória.

Engaku Bodaidaruma Daioshô, assim como o próprio Buda, era um jovem nobre que abandonou o castelo e se tornou monge. A missão que seu mestre lhe deu foi a de levar os ensinamentos para a China. E ele assim o fez.

Levou o zen, o chá e as artes marciais. Criou discípulos e fundou escolas budistas. Um Buda ancestral.

No Mosteiro Feminino de Nagoya, a Monja Zentchu Silva apresenta o encontro de BodiDarma com o imperador Wu, quando de sua chegada à China. É o chamado Combate do *Darma*, quando a monja é questionada por todas as outras praticantes e em voz alta e forte deve responder.

Não há mais dúvidas. BodiDarma vive nas pessoas que mantêm vivo o *Darma* de Buda. A tradição não é lenda. É realidade no agora.

O mosteiro de Nagoya também celebra seus 110 anos de vida. Tão jovem diante dos mosteiros masculinos com mais de oitocentos anos. Mesmo assim, preserva os ensinamentos corretos. Foram quatro monjas que se uniram e formaram o primeiro mosteiro para mulheres. Budas ancestrais.

Em dezembro, no Japão, nos Estados Unidos, na Europa, na Austrália, no Canadá e no Brasil, haverá o Rohatsu Sesshin – o Retiro da Iluminação de Buda. Uma semana de silêncio, *zazen*, leitura de sutras. A mente com a própria mente, o *eu* com o *Eu*. Lembrando as palavras de Xaquiamuni Buda, o encontraremos na grande intimidade do *inter-ser*: "Eu, a grande Terra e todos os seres, juntos, simultaneamente, nos tornamos o Caminho Iluminado".

Tudo é o Caminho. Outros? Que outros? Percebemo-nos a teia da vida e por isso cuidamos com ternura e respeito pela própria vida.

Budas ancestrais apreciam a prática incessante e descansam no *zazen* da Mahayana (Grande Veículo).

Preparem-se para o fim do ano, agradecendo e apreciando o que é, assim como é e sendo a transformação do mundo.

Em Buda.

Gassho.

– Monja Coen

Ano Buda 2579

Ano da Serpente – 2013

Uma extraordinária serpente se levanta e expande sua face para proteger Buda.

Há muitas histórias. De chuva, de vento, de sol e das serpentes se tornando protetoras do Iluminado.

Textos sagrados, escondidos nas profundezas das águas, foram mantidos e protegidos pelas serpentes.

Nagas, Serpentes de Sabedoria Perfeita.

Surgiram monges como Nagarjuna, líder de um grande grupo de praticantes Nagas. Quando ele se tornou monge, todos os seus seguidores também o acompanharam nessa caminhada. Deixaram pontos de vista errôneos e adentraram o Caminho de Buda.

Ano da Serpente. Ano de Sabedoria, ano de preservar Buda, de manter os ensinamentos e de transmiti-los.

Receber é transmitir. Transmitir é despertar.

Despertar para a mente iluminada é se tornar uma pessoa simples e comum. Entretanto, apenas pessoas iluminadas reconhecem outras pessoas iluminadas.

E as que ainda não se iluminaram, as que ainda não despertaram, serão despertas.

Sem olhar para trás, caminhamos.

Houve alegrias e tristezas, viagens e paragens.

Houve vida e morte. Houve tanto. Houve nada.

Há silêncio e há som.

Há serpentes e há sutras.

Budas sentados e budas de pé.

Budas deitados e budas caminhando.

Somos capazes de reconhecer Buda em cada onda e partícula?

No início do ano revolvo o *Sutra da Grande Sabedoria Perfeita*. Nagarjuna Daioshô guardou, preservou, estudou e transmitiu a Grande Sabedoria Perfeita.

Vazio.

Vazio dos cinco agregados.

Libertação.

Ano-Novo, vamos nos libertar de nossas ignorâncias, raivas e ganâncias sem limite?

Vamos nos refugiar em Buda, no *Darma* e na *Sanga*?

Três Joias preciosas. Três Tesouros.

Revolvendo eu o sutra ou o sutra me revolvendo? Algumas vezes, há apenas o sutra revolvendo o sutra; outras, apenas o revolver; outras, apenas o sutra.

Temos de nos tornar o sutra, o ensinamento superior, a Grande *Prajna Paramita*, Sabedoria Perfeita que nos leva à outra margem.

Que outra?

Esta aqui. Bem onde estamos. Acessá-la depende apenas de nossa prática incessante. Sem tréguas e sem fadiga.

Zazen.

Protegidas pelas Nagas sagradas, pelos ensinamentos de Buda, pelo *Darma* e pela *Sanga*, vamos sorrir e brincar por toda esta Terra Pura.

O local é aqui. O tempo é agora.

Aprecie o Ano da Serpente.

Apreciemos nossas próprias vidas.

Gassho.

– ***Monja Coen***

Nascimento de Buda

> "Quem nasce para o benefício de muitos, para a felicidade de muitos, sente compaixão pelo mundo... o Mais Honrado."
>
> *(Anguttara Nikaya,* ***Discursos Numéricos*** *– 1–13)*

O fundador do budismo, Xaquiamuni, foi um personagem histórico nascido príncipe no clã dos Xáquias, na cidade-estado de Kapilavastu, aos pés do Himalaia.

Foi chamado na infância de Gotama Sidarta. *Sidarta* significa *aquele cuja vontade foi realizada* ou *aquele que obteve seu propósito*.

Depois de sua Iluminação, tornou-se Buda, o Iluminado, e ficou conhecido como Xaquiamuni (Sábio dos Xáquias, o Mais Honrado). Ele não é o primeiro, nem o último, nem o único Buda. Segundo seus próprios ensinamentos, budas sempre existiram, existem e existirão.

Há várias datas estimadas para seu nascimento e morte, todas anteriores à era cristã e bem próximas umas das outras.

A nossa ordem religiosa, Soto Shu, aceitou as pesquisas de vários eruditos japoneses e concluiu que estamos agora no ano Buda de 2579.

Houve quem questionasse a existência de Xaquiamuni Buda. Em 1897, foi descoberto em Piprahwa, no sul do Nepal, um relicário contendo a inscrição de que irmãos, irmãs, esposas e crianças do clã Xáquia reverentemente depositaram ali as relíquias de Buda. Essa é uma das provas históricas de sua existência. Há também as inúmeras inscrições deixadas pelo rei Asoka, que governou no norte da Índia por volta do século 3 a.C. Mas ele viveu duzentos anos depois de Buda.

Torna-se difícil reconstituir uma biografia de Buda, mas por meio dos textos que foram transmitidos oralmente e mais tarde escritos, pode-se confirmar sua história. Os ensinamentos fundem-se com sua vida pessoal.

Seu pai era o rei Sudodana, e sua mãe a rainha Maia. Estiveram casados por alguns anos, mas ainda não tinham filhos.

Então a rainha teve um sonho, no qual um elefante branco a tocava na axila direita. Os oráculos confirmaram: estava grávida.

A raridade do elefante branco se compara com a da mulher estéril gerando. Segundo as tradições indianas, os *ksatrias* – casta de aristocratas, proprietários de terras, guerreiros – nasciam da axila da mãe. Essa era a casta do clã Xáquia.

A profecia se cumpriu e, ao se aproximar a data do nascimento, a mãe de Buda, acompanhada de sua corte, decidiu viajar em direção ao palácio da família.

Em meio à viagem, depois de uma noite clara de lua cheia, as cores do amanhecer pintavam o céu. A rainha então levantou os braços e se apoiou com ambas as mãos no galho de uma árvore. O pequeno futuro Buda nasceu. Era o dia 8 de abril, seis séculos antes da era cristã.

Como toda figura histórica extraordinária, circularam lendas sobre seu nascimento. Uma delas conta que, logo após o nascimento, Sidarta andou sete passos em cada uma das quatro direções do zodíaco. Com seu braço direito, apontou para o céu; com o esquerdo, apontou para a terra e disse: "Entre o céu e a terra, sou o único a ser venerado".

Nesse momento, o jardim de Lumbini floresceu. Néctar celestial suavemente caiu sobre todos. Alegria na Terra.

Podemos questionar qual o significado dessas alegorias. Pode um bebê recém-nascido andar?

Claro que não. Mas seus discípulos, duzentos anos após sua morte, escreveram sobre o mestre que nunca conheceram pessoalmente. Para atribuir o significado de que seus ensinamentos se espalhariam por todas as direções, hoje os eruditos assim explicam essa analogia.

Ser o único venerável é uma contrapartida às inúmeras deidades veneradas na Índia naquela época.

Segundo Karen Armstrong em seu livro *Buda*, essa é considerada uma época Axial, de grandes mudanças em toda a família humana:

> A Era Axial assinala o início da humanidade como hoje a conhecemos. Durante esse período, homens e mulheres tomaram consciência, de uma forma sem precedentes, de sua existência, natureza e limitações. A sensação de absoluta impotência em um mundo cruel levou-os a buscar as mais altas metas e uma realidade absoluta nas profundezas de seu próprio ser. Os grandes sábios da época ensinaram os seres humanos a enfrentar a miséria da vida, transcender suas fraquezas e viver em paz no meio deste mundo imperfeito. Os novos sistemas religiosos que surgiram nesse período – taoísmo e confucionismo na China, budismo e hinduísmo na Índia, monoteísmo no Irã e Oriente Médio e racionalismo grego na Europa – partilhavam todos características fundamentais sob suas óbvias diferenças. Só participando dessa transformação em massa foi que os vários povos do mundo puderam progredir e entrar na marcha da história (...). Nos países axiais, umas poucas pessoas sentiram novas possibilidades e desligaram-se das antigas tradições. Buscaram a mudança nos mais profundos recessos de seus seres, maior interioridade em suas vidas espirituais, e tentaram fundir-se com uma realidade que transcendia as condições e categorias mundanas normais.[7]

Tanto no Oriente como no Ocidente surgiram pensadores e religiosos que propuseram novas reflexões sobre a vida humana e sobre as deidades. Buda é um desses pensadores livres da época.

---

7. ARMSTRONG, Karen. *Buda*. Rio de Janeiro: Objetiva, 2001.

> “Um Buda não nasce em qualquer lugar e não é facilmente encontrado. Feliz é a família na qual tal sábio nasce.”
>
> *Dhamapada (Poemas do Darma)* 193

De acordo com o *Sutta Nipata* (*Coleção de Sutras*), ao tomar conhecimento do nascimento de Gotama Sidarta, um sábio chamado Asita sentiu que algo extraordinário acontecia no palácio e correu para lá. Ao ver a criança, lágrimas de emoção brotaram de seus olhos. Ele explicou aos pais aflitos: “Não há nada de errado com o bebê. Todos os aspectos são auspiciosos. Será um grande monarca ou um grande asceta. Estou triste por ser idoso e não poder ouvir seus ensinamentos”.

A rainha Maia, sua mãe, morreu sete dias depois do nascimento do filho.

Sidarta Gautama foi nutrido e educado por sua tia, Mahaprajapati, que se tornou a segunda esposa de seu pai, o rei Sudodana. Mahaprajapati teve outros filhos, mas Sidarta foi sempre seu primogênito.

Anos mais tarde, depois de várias peregrinações, práticas do ioga e ascetismo, Sidarta finalmente obteve a Iluminação Suprema, sendo chamado de Xaquiamuni Buda.

Voltou ao palácio, agora cercado de discípulos. Mahaprajapati, ao ouvir seus ensinamentos, pediu para entrar na ordem monástica.

Embora relutasse em aceitar mulheres na *Sanga*, acabou cedendo, tornando Mahaprajapati a primeira monja histórica.

> “Quem me vê, vê o *Darma*. Quem vê o *Darma*, me vê.”
>
> *(Xaquiamuni Buda)*

Gassho.

– Monja Coen

Ano 12 • nº 45

Julho/agosto/setembro de 2013 – Ano Buda 2579

Obon, Ohigan, Sejiki-e

Ofertas a todos os seres em todas as esferas

Nesta época do ano, budistas japoneses se reúnem para celebrar sua ancestralidade.

Os feriados de Obon são os de reunião familiar. Geralmente, o parente mais velho mantém em sua casa o altar da família. Nesse altar ficam os *ihais* (tabletes memoriais) de todos os parentes já falecidos. Durante a celebração de Obon, muitas famílias preparam uma mesa grande e nela colocam todos os *ihais* do altar. Nessa mesa são feitas oferendas de alimentos doces, salgados, crus e cozidos, além de frutas, verduras, água e chá. Sempre há flores, velas e incenso.

Na abertura do Obon (13 de julho em algumas áreas, 13 de agosto em outras), amarram-se folhas secas de pinheiro para fazer o *mukae-bi* (*fogo de receber*, *de esperar*). Na porta da casa ou na entrada do túmulo, no cemitério, acende-se esse fogo. Que os ancestrais, os parentes mortos, venham. Sejam bem-vindos a partilhar três dias de festas e celebrações.

Parentes se reúnem no *furo sato* – na cidade natal, no local de origem da família, onde um parente mais velho mantém a tradição e o altar familiar. Muitas pessoas viajam. Os trens, estradas e aeroportos ficam lotados. É a grande festa nacional. A festa da família unida.

Familiares reunidos, ofertas no altar e solicitação para que monges ou monjas venham orar. Preces especiais. Preces de invocar e nutrir. Monges e monjas ficam extenuados. Passam os dias orando de uma casa a outra, sem cessar, desde as seis da manhã até tarde da noite, muitas vezes. As vozes vão ficando roucas, mas a disposição não diminui.

Há rodas de dança circulares, acompanhadas por *taikos* (tambores enormes) e música tradicional. As danças seguem coreografias antigas e são feitas em praças públicas para que todas as pessoas participem. Os ancestrais e parentes falecidos foram chamados e estão assistindo. É preciso que se alegrem por meio da alegria de seus parentes vivos. A fartura das mesas também é uma homenagem de gratidão e uma oferta de saciedade.

No dia 15, os templos celebram para todas as famílias da redondeza a grande liturgia de Urabon Dai Sejiki-e. *Urabon* é um nome antigo, vindo da Índia. Significava *estar pendurado de cabeça para baixo* e se referia a seres em sofrimento. Contam os sutras sagrados que Xaquiamuni Buda tinha, entre seus discípulos, um com poderes paranormais. Mokuren Sonja, como é conhecido no Japão, perdera sua mãe. Em seus sonhos, ela aparecia sempre sofrendo, com fome e sede. Mokuren Sonja preparava refeições deliciosas e água pura, orava e oferecia ao espírito de sua mãe falecida. Todavia, quando ela se aproximava para receber as ofertas, estas se transformavam em coisas repugnantes, e ela continuava sofrendo.

Mokuren Sonja foi consultar-se com seu mestre, Xaquiamuni Buda. A solução de Buda foi a seguinte: assim que os monásticos e as monásticas encerrassem os três meses de treinamento intensivo da época das chuvas (quando não deveriam caminhar para não matar as plantas e os animaizinhos que surgiam nessa estação), haveria uma grande celebração. Durante essa cerimônia, alimentos deveriam ser ofertados e Buda faria uma prece invocando todos os espíritos dos seis mundos para que ali viessem, para que suas gargantas se abrissem, para que as ofertas se mantivessem puras e todos ficassem satisfeitos.

Assim foi feito, e Mokuren Sonja, com lágrimas nos olhos, veio agradecer ao mestre Buda. Sua mãe agora sorria, satisfeita. Essa é a origem da celebração, que se realiza há mais de 2.500 anos.

Oferecemos alimentos da terra e do mar. Cozidos e crus. Invocamos todos os espíritos e, por meio da liturgia do Portal do Doce Néctar, oferecemos as preces, as flores, a luz das velas e todos os alimentos a todos os seres, para que fiquem completamente satisfeitos.

Após essa celebração final, após as danças e os banquetes que se seguem, os familiares novamente acendem um pequenino fogo de galhinhos de pinheiro para que os espíritos possam ir embora – *okuri-bi.* Os familiares que vieram de longe também se despedem e voltam para suas casas.

A liturgia para Obon (também chamado de Urabon) é chamada de Sejiki-e, que significa, em tradução literal, *Cerimônia de Oferta de Alimentos.* Houve uma época em que era chamada de Segaki, *Oferta para Espíritos Famintos.* Nem todos os espíritos, porém, tornam-se famintos. Por isso, o nome foi alterado, bem como a intenção da cerimônia.

Mas não é apenas aos mortos que oferecemos. Cada um de nós precisa ser alimentado corretamente para estar saciado. A celebração inclui a nossa travessia. Atravessarmos da ignorância para a sabedoria. Os sutras, as práticas e os ensinamentos são as pontes, as balsas, os barcos que nos levam de uma margem a outra.

Higan (*haramita* ou *paramita*) significa *atravessar*, *chegar à outra margem*, *completar*. Nos equinócios, celebramos o Ohigan-e. A liturgia do atravessar, do completar. Tanto para as pessoas que já morreram como para as que vivem agora. Todos e todas podem e devem sair da margem da delusão e chegar à margem de *Prajna Paramita* (Sabedoria

Perfeita). Assim, a mesma liturgia de Obon é a do Ohigan-e, a ser celebrada no dia 22 de setembro.

Nossa comunidade convida a todos e todas a participar do treinamento intensivo, entre 5 e 14 de julho. Faremos, ao final, a prece e as ofertas de alimentos, incenso, flores, luz de velas e ensinamentos de libertação.

Lembrando que nós, budistas, honramos os Três Tesouros: Buda, *Darma* e *Sanga*. Esta época do ano é auspiciosa para nos reabrigar em Buda, no *Darma* e na *Sanga*.

Todos são muito bem-vindos.

Atravessar o oceano de velhice, doença e morte, na tranquilidade de *Nirvana*.

Indo, indo, tendo chegado e, ainda assim, indo, indo.

Homenagem à Iluminação.

Gyate, gyate, hara gyate, hara so gyate bodhi sowa ka.

Gassho.

– Monja Coen

Ano 12 • nº 46

Outubro/novembro/dezembro de 2013
– Ano Buda 2579

Linhagem

Xaquiamuni Buda Daioshô

Bodaidaruma Daioshô

Keizan Jokin Daioshô

Xaquiamuni Buda Daioshô

Em nossa linha de consanguinidade budista, chamada de *ketchimyaku* em japonês, o primeiro desenho no topo da página é o de um círculo vazio.

O círculo significa a completude, nada faltando.

O vazio é o pleno, onde tudo pode se manifestar livremente.

Desse círculo inicial, uma linha vermelha se conecta ao círculo seguinte, logo abaixo, onde está escrito o nome de Xaquiamuni Buda, o Buda histórico, a partir do qual todos os ensinamentos budistas são revelados.

Ele não se dizia nem o primeiro, nem o único, nem o último. Infinitos budas do passado, do futuro e do presente se manifestando nas dez direções (norte, sul, leste, oeste, nordeste, sudeste, noroeste, sudoeste, para cima e para baixo).

A linhagem é contínua, representada por uma linha vermelha sobre a qual estão escritos os nomes de todos os sucessores seguidores do *Darma* budista.

O 28º é BodiDarma ou Bodaidaruma Daioshô.

Bodaidaruma Daioshô viajou da Índia para a China. Lá chegando, praticou *zazen* voltado para a parede de forma sistemática e contínua, afirmando ser esse o Caminho de Buda. Foi chamado de monge *zen* (cuja origem está na palavra sânscrita *dhyana*, que em chinês se tornou *ch'an* e significa *meditação*), e por isso foi considerado o fundador do zen-budismo. Entretanto, o zen foi, é e será a prática de Xaquiamuni Buda e de todos os budas do passado, do futuro e do presente.

No dia 5 de outubro celebramos, em todo o mundo, em todos os templos e mosteiros da ordem Soto Zen, o memorial anual de Bodaidaruma Daioshô.

Em sua homenagem, o leigo Muni, praticante do Via Zen, em Porto Alegre, apresentará neste ano o caso da prática de bodiDarma e será sabatinado por toda a comunidade zen de Porto Alegre, a fim de que o *Darma* Correto se manifeste. Durante três meses, Muni manteve prática incessante, o que lhe permitiu ser considerado o líder dos leigos e das leigas praticantes. Será o primeiro *shusso* leigo no Brasil.

Abrem-se os portais do zen-budismo para que praticantes laicos possam se tornar professores praticantes (não apenas eruditos), orientadores e facilitadores dos ensinamentos sagrados de Buda.

Em 21 de novembro celebraremos o nascimento do segundo fundador da Soto Shu no Japão, mestre Keizan Jokin Daioshô. Nossa homenagem é a prática e o compromisso de seguir seu exemplo e seus ensinamentos. Para isso, estamos traduzindo para o português sua obra principal, o *Denkoroku – Anais da Transmissão da Luz*, cujos capítulos serão publicados a partir de janeiro próximo.

O retiro principal de nossa tradição, o Rohatsu Sesshin, acontecerá, como todos os anos, entre 1 e 8 de dezembro. Praticar como Buda pratica, praticou e praticará é a melhor homenagem à Iluminação Suprema de nosso mestre ancestral fundador, Xaquiamuni Buda. Assim o ciclo se completa, iniciando com Xaquiamuni Buda e voltando a Xaquiamuni Buda. E Buda surge e desaparece no círculo vazio. Sem começo e sem fim. Perfeito e completo, assim como é. Sem dentro e sem fora. Sem surgir e sem desaparecer.

O Caminho se manifesta e se abre, transparente e correto, para quem mantém acesa a luz da transmissão por meio da prática incessante do *Darma* de Buda na convivência assídua com a *Sanga*.

Espero que consigamos reunir toda a nossa comunidade nas práticas desse trimestre e que possamos celebrar juntos o fim do ano, tocando o sino 108 vezes, transformando obstáculos em portais e nos sentando em *zazen* com todos e todas as budas.

Que os méritos se estendam a todos os seres.

Que possamos nos tornar o Caminho Iluminado.

Gassho.

– Monja Coen

Ano 13 • nº 47

Janeiro/fevereiro/março de 2014 – Ano Buda 2580!

Cavalo de madeira – Ano Buda 2580

O cavalo de madeira dispara em galope rápido e macio. Se o cavaleiro for hábil, poderá marchar suavemente. Para onde queremos ir? Qual sentido daremos às nossas vidas? Se não soubermos, se não decidirmos, se não esclarecermos, o cavalo poderá nos levar a comer capim.

"Se um cavalo passar arreado, monte." Ditado popular do Sul do Brasil.

Esteja desperto, esteja acordado. Monte no cavalo e vá. Para onde? Por onde?

E se não passar nenhum cavalo arreado, arreie o seu. Há quem saiba montar em pelo, sem arreio. Há quem não saiba cavalgar? Trate de aprender. Há quem não tenha acesso a um cavalo? Torne-se o veículo. Mas torne-se o grande veículo de Buda.

Nossos estímulos neurais, se repetidos, abrem autoestradas. Se esquecidos, fecham-se em mata densa. É preciso praticar incessantemente. Assim ensinou Buda, assim repetiu mestre Eihei Dogen Zenji Sama. "A prática é o Caminho", "prática-iluminação não são duas" –

expressões básicas do *Darma* de Buda. Conexões neurais. Inúmeras possibilidades. Conecte-se a Buda por meio do *zazen* da Mahayana.

Ano-Novo. Ano Buda de 2580. Seria essa a data de sua morte ou de seu nascimento? Se for de sua morte, devemos somar oitenta anos, o que nos levaria ao ano de 2660. É diferente, mas faz diferença em sua vida? Há discussões e controvérsias, descobertas e redescobertas. Sabemos que Buda Xaquiamuni nasceu, cresceu, viveu, iluminou-se, pregou como um grande mestre, ordenou homens e mulheres, crianças e idosos. Sem fazer distinção entre castas sociais, ensinou, transmitiu e passou – atravessou –, entrou em *Parinirvana* aos oitenta anos de idade. Celebremos o Caminho de Buda tornando-nos esse Caminho.

Buda dizia que nós, seres humanos, podemos ser comparados a quatro tipos de cavalo. O primeiro corre ao ver a sombra do chicote – significando pessoas que percebem a transitoriedade da existência e penetram a Sabedoria Perfeita sem passar por grandes perdas. O segundo cavalo só corre se sentir o chicote em seu pelo – referência a quem ressignifica sua vida ao perceber a transitoriedade se manifestando em pessoas públicas, conhecidas, porém distantes. O terceiro cavalo corre quando o chicote penetra sua carne e o fere – pessoas que só despertam para a verdade quando o sofrimento se manifesta em alguém ou algo muito, muito próximo, muito amado. O quarto cavalo só se move quando o chicote fere profundamente o seu corpo, chegando até os ossos – pessoas que só penetram a verdade e o Caminho quando a dor é profunda a ponto de rasgar e penetrar o mais íntimo de seu ser, destruindo todos os sonhos e todos os conceitos.

Devemos nos esforçar para que todos os seres despertem, para que muitos possam ser como o primeiro cavalo, acordando para a mente suprema sem receber nenhuma chibatada. Mas, se o chicote chegar, receba, acolha, sinta a dor sem reclamar e galope macio para beneficiar todos os seres. Afinal, nada é fixo e nada é seguro neste mundo.

Ano-Novo, época de renovar nossos votos de Bodisatva, reler nossa história e ir além da individualidade; de nos reconciliar com nossa Natureza Buda (*Bussho*, em japonês). Vamos insistir, vamos praticar, vamos acordar a nossa *Sanga* unida e forte, pronta a movimentar o *Darma*, girando a roda da lei, vivendo como budas.

Que a harmonia, a Sabedoria Perfeita e a compaixão ilimitada se manifestem em cada criatura, construindo a cultura da paz, baseada em direitos humanos e ambientais – para o bem de todos os seres.

Em Buda, no *Darma* e na *Sanga*.

Gassho.

– Monja Coen

Ano 13 • nº 48

Abril/maio/junho de 2014 – Ano Buda 2580

Absoluto e relativo são como uma caixa e sua tampa

> "Todo o *Shobogenzo*, trabalho principal de mestre Eihei Dogen Daioshô Zenji, apresenta o absoluto e o relativo em suas cinco relações."

Assim falava meu mestre de transmissão do *Darma*, Yogo Suigan Roshi, na sala de palestras do Mosteiro Feminino de Nagoya. Isso aconteceu há muitos anos, mas seus gestos e sua fala ficaram para sempre marcados em mim.

Yogo Suigan Roshi, cujo nome de *Darma é* Zengetsu Suigan Daioshô, foi vice-abade do mosteiro-sede de Sojiji e abade do mosteiro de Daiyuzan Saijoji, onde o monge Daiko Krauss pratica. Tive a honra de ser recebida no mosteiro Saijoji e passar toda uma semana copiando os textos secretos da transmissão, fazendo reverências à nossa linhagem e me comprometendo a suceder os budas ancestrais. Tantos papéis, liturgias, informações e formações. Yogo Roshi Sama dizia: "Dogen Zenji mostra o absoluto e o relativo em cada capítulo do *Shobogenzo*". Parecia tão fácil entender através do seu entendimento.

Enquanto o mestre falava e escrevia no quadro, eu procurava nos dicionários e nos livros traduzidos para o inglês as correlações. Como era adorável poder estudar o *Darma* por meio de um mestre iluminado além da Iluminação.

"Relativo e absoluto são como uma caixa e sua tampa."

"Vida comum se encaixa no absoluto, como uma caixa a sua tampa."

"O absoluto trabalha com o relativo como duas flechas se encontrando em pleno ar."

"Quando duas flechas se encontram em pleno ar, seria somente a técnica a responsável?"

São trechos do *Sandokai* (*Identidade do Relativo e do Absoluto*), escrito por Sekito Kisen Daioshô Zenji, grande monge da nossa linhagem, e do *Hokyozanmai* (*Samadhi do Espelho Precioso*), escrito por Tôzan Ryôkai Daioshô Zenji – o primeiro caractere de seu nome deu origem à nossa Soto Shu, na China.

Há outros grandes monges e monjas na tradição. Neste ano, em maio, virão do Japão representantes de nossos templos-sede para celebrarmos o Buda ancestral Gasan Joseki Daioshô Zenji, dos séculos 13–14. Foi ele que revitalizou o estudo das cinco relações (*Go-i*) entre absoluto e relativo, tornando esse estudo um dos pontos principais da Soto Shu.

Aqui, em nosso modesto templo Tenzui Zenji, homenageamos no primeiro semestre nosso fundador no Japão, Eihei Dogen Daioshô Zenji (1200–1253), mas para estudar mestre Dogen temos de estudar mestre Tendo Nyojo Daioshô Zenji, seu professor, seu instrutor, seu orientador, ou melhor, como mestre Dogen o chamava, o antigo Buda Tendo Nyojo.

"Abandonar o abandonar corpo-mente", dizia o antigo Buda. Ir além, sempre ir além, como no *Gyate, gyate, hara gyate hara so gyate* do fim do *Sutra do Coração da Grande Sabedoria Completa*. Estamos indo,

indo, chegamos e continuamos indo. Não há princípio nem fim. Transformações, transmutações incessantes. Interligados, *intersendo*.

O tudo-nada. A forma-vazio. Ao mesmo tempo o tudo, tudo. O nada, nada.

A forma é forma. O vazio é vazio.

Da mesma maneira, o absoluto só. O relativo só. O absoluto dentro do relativo. O relativo dentro do absoluto. Finalmente, no quinto estágio, *intersendo*, interpenetrando, completando, como uma caixa e sua tampa. Fico sempre maravilhada ao entoar os sutras da linhagem, *Sandokai* e *Samadhi*.

Zazen é *samadhi*. *Zazen* é o encontro com a Natureza Buda (*Bussho*).

Zazen é sentar-se com todos os antigos, os novos e os que estão por vir: budas ancestrais, sucessores, fundadores.

Logo, não perca tempo girando apenas na superficialidade da mente. Aprofunde-se para penetrar o Caminho e libertar-se das limitações da mente comum.

No segundo semestre, homenagearemos Keizan Jokin Daioshô, considerado a mãe da Soto Shu e o segundo fundador da nossa ordem. Venha apreciar conosco esta linhagem viva. Se estiver distante, procure o curso on-line e siga os passos, pegadas invisíveis mas presentes, dos nossos grandes inspiradores e guias do Caminho de Buda.

Mãos em prece.

– *Monja Coen*

Calendário de celebrações

A tradição Soto Shu, bem como a maioria das tradições budistas com sede no Japão, reconhece 8 de abril como a data correspondente ao nascimento de Sidarta Gautama, que se tornou Xaquiamuni Buda.

Há três grandes celebrações de que os budistas participam: Nascimento de Buda (8 de abril), Iluminação de Buda (8 de dezembro) e *Parinirvana* de Buda (15 de fevereiro).

Diferentemente de outras tradições budistas, que criaram o Festival de Buda, chamado Vesak, no qual se celebram as três datas na lua cheia de maio, nós celebramos em três ocasiões, conforme os estudos realizados por pesquisadores das universidades budistas japonesas.

Assim, em abril haverá o Hanamatsuri, ou Festival das Flores, celebrando o nascimento do príncipe Sidarta em um jardim nas proximidades do Nepal. Nas ruas do bairro da Liberdade, a imagem do bebê Buda é colocada sobre um elefante branco e puxada por crianças vestidas como seres celestiais, por religiosos e também por escoteiros.

Do dia 15 até o dia 18 haverá o Primeiro Encontro Zen-Budista da América do Sul, em Buenos Aires. Uma oportunidade para conhecermos outros praticantes e outros mestres zen.

Em maio, nos dias 24 e 25, haverá em nossa sede administrativa para a América do Sul, localizada no templo Busshinji, em São Paulo, uma grande homenagem a Gasan Joseki Daioshô Zenji (1274–1365), ancestral do *Darma* que faz parte da minha linhagem. Ele foi sucessor de Keizan Jokin Daioshô Zenji, assumindo o mosteiro-sede de Sojiji por quarenta anos. Gasan Joseki Daioshô Zenji deixou 25 discípulos notáveis, conhecidos como Gasan-ha (a linhagem de Gasan). Seus ensinamentos enfatizavam o cultivo do Caminho (*Do*) e revitalizaram o pensamento de mestre Tôzan Ryôkai (de onde surgiu o caractere *To* de *Soto Shu*) com o estudo das Cinco Relações (*Go-i*) entre absoluto e relativo: absoluto sozinho, relativo sozinho, relativo dentro do absoluto, absoluto no relativo e ambos naturalmente *intersendo*.

Junho é o mês da Copa do Mundo. O Brasil estará com muitas atividades e o nosso templo manterá uma programação mais simples para atender à demanda dos que apreciam o futebol, levando em conta também o aumento do número de pessoas na cidade de São Paulo.

Mãos em prece.

– Monja Coen

Ano 13 • nº 49

Julho/agosto/setembro de 2014 – Ano Buda 2580

Cossurgir

> "Tudo o que existe é o cossurgir interdependente e simultâneo."

Há mais de 2.600 anos, na Índia, o jovem Sidarta acessava a mente suprema. Hoje, há quem a chame de matrix divina. O tudo-nada. O salto no vazio, no além dos conceitos, das ideias, das palavras, das amarras. Subir em uma ponte, uma montanha, e se jogar. Por favor, não é *se jogar* literalmente. O jogar-se, o atrever-se e o arriscar-se é não ter medo de si mesmo.

Nossa mente suprema é protegida por guardiões extraordinários e perfeitos. Precisamos das senhas corretas para atravessar os portais. Se houver energias e sentimentos perversos, seremos barrados. Se houver dúvidas e medos, ficaremos presos nas teias do *eu*. Se houver confiança e atrevimento, com humildade e pureza, penetraremos.

Esse sagrado se manifesta nos pássaros nadando, nos peixes voando, nas montanhas fluindo e na terra gemendo de dor e de prazer. Somos a vida. Somos a morte. Somos seres humanos. O que é ser humano? Pergunte-se, questione-se.

Zazen é postura ativa em tranquilidade. É tranquilidade ativa na postura correta. *Postura não é pose, postura não é apenas posição.* O que é a postura correta?

Pensar, não pensar, ir além do pensar e do não pensar. Em tudo se manifesta e não está fixo em parte alguma. Corre mais rápido que a luz e é mais lento que a lentidão dos tempos. Vive nas profundezas e nas alturas. Permeia todos os campos intermediários. Jamais desaparece nem aparece. Entretanto, quando há a procura, há o encontro. Mas, se apenas procuramos fora de nós, o encontro também fica de fora.

Desde o passado mais longínquo ao futuro mais distante, é o tempo. Tempo presente e transiente.

Somos o tempo. Somos a vida.

Somos o não tempo. Somos a morte.

Somos o tempo da morte.

Somos o não tempo da vida.

O que separa? O que une? Cuidado. O encontro com o absoluto ainda não é Iluminação.

“A mente comum é o Caminho.”

Keizan Jôkin Daioshô Zenji, cofundador de nossa ordem no século 14, no Japão, teve sua experiência iluminada ao ouvir essa frase.

O que é a mente comum? O que é a mente do dia a dia? O que é a mente? Mente tranquila, mente de equidade é o Caminho. O que é a mente comum? A mente que complica, a mente que se separa, a mente que julga, que condena, que escolhe, que divide? Definitivamente não. Mas mesmo essa mente absurda e tola pode ser transmutada para se tornar o Caminho. Aqui, *Caminho* se refere à Iluminação, ao despertar, ao encontro da realidade pelo ser real, verdadeiro.

Durante o segundo semestre deste ano vamos nos aprofundar nos ensinamentos de mestre Keizan, considerado a mãe da nossa ordem, a Soto Shu. A mãe surge quando surge a cria – o cossurgir interdependente e simultâneo.

Nossa ordem se estabelece definitivamente como uma ordem religiosa forte e contínua a partir de sua disponibilidade de entrega, da prática incessante, do atrever-se, do avançar, do não se poupar, de questionar, de penetrar o *Darma,* a matrix divina. Isso é Iluminação. Simples, logo complicado.

Convido você a nos acompanhar nessa viagem do encontro do *eu* com o *eu*. Aquele espaço e tempo onde não há mais nem menos. Transmitindo a luz, a claridade, a clareza da percepção correta, simples, humilde, pura, que nos permite cuidar com ternura e sabedoria suave de todos os detalhes da nossa coexistência.

Apreciem.

Gassho.

– Monja Coen

Ano 13 • nº 50

Outubro/novembro/dezembro de 2014 – Ano Buda 2580

Arrependimento

Todo carma prejudicial
Alguma vez cometido por mim
Desde tempos imemoriáveis
Devido a minha
Ganância, raiva e ignorância
Sem limites
Nascido de meu corpo, boca e mente
Agora, de tudo, eu me arrependo

O *Poema do arrependimento*, utilizado atualmente pela tradição Soto Shu, pode ser traduzido como está acima. Primeiramente, temos de entender o que é carma. A palavra "carma" significa *ação*. Ação repetitiva que deixa marcas, impressões, com tendência à repetição. Carma pode ser neutro, benéfico ou prejudicial. Há carma fixo e não fixo. Carma pessoal, individual e coletivo. Carma de efeito imediato, de efeito a médio ou a longo prazo. Inúmeras possibilidades.

Na cerimônia do arrependimento, que deve ser realizada em grupo, reunindo toda a *Sanga* nas noites de lua cheia e lua nova, ficamos de joelhos, de face para o altar principal, e entoamos o poema acima. Mais do que apenas repetir as palavras, é preciso compreendê-las em profundidade, é preciso tornar-se o arrependimento.

Todo carma prejudicial – Carma que prejudicou alguém ou alguma situação, coisa, objeto. Carma que não foi benéfico, que não levou os seres ao conhecimento, à sabedoria. Carma sem compaixão, sem afeto. O texto é sobre todo esse carma, não apenas sobre parte dele, não somente sobre alguns aspectos.

Alguma vez cometido por mim desde tempos imemoriáveis – Do que me lembro e do que não me lembro. O que gravei na memória e o que escondo de mim mesmo. Causas e condições prejudiciais geradas por mim de maneira sistêmica ou eventual e que a memória atual não acessa. Tomo responsabilidade por todo esse carma prejudicial.

Devido à minha ganância, raiva e ignorância sem limites – Ganância, raiva e ignorância são os três venenos básicos que nos impedem de ver a realidade assim como ela é e atuar da maneira adequada. A partir desses três venenos surgem as outras emoções destrutivas, como ciúme, inveja, rancor, tristeza, preguiça, indolência. São ao todo 108 os obstáculos à mente iluminada. Mente iluminada significa mente lúcida, cheia de luz, claridade, clareza, discernimento correto. A ganância pode ser por coisas materiais ou espirituais. A raiva pode surgir a partir de situações, de encontros ou desencontros entre pessoas diferentes ou até ser dirigida a nós mesmos.

A ignorância não é falta de estudos ou de intelectualidade. É falta de inteligência emocional, de conhecer a realidade assim como ela é e de saber atuar de maneira assertiva para o bem de todos. Ignorância é o desconhecimento das Quatro Nobres Verdades ensinadas por Buda em seu primeiro sermão, logo após sua Iluminação:

1. ***Dukkha*:** Sofrimento, dificuldades e insatisfações existem;
2. **Causalidade:** Há causas para *dukkha*: nascimento, velhice, doença, morte; estar longe de quem se gosta e perto de quem não se gosta; estar em um lugar desejando estar em outro; realizar uma atividade quando gostaria de estar realizando outra;
3. ***Nirvana*:** Estado de tranquilidade obtido por meio da sabedoria perfeita;
4. **Caminho de oito aspectos:** Visão correta, clara e adequada sobre a realidade, abrangendo oito aspectos: memória, fala, ponto de vista, pensamento, meio de vida, atenção, concentração e sabedoria.

> Quem conhece a Lei da Causalidade conhece o *Darma.*

Buda ensina o inter-relacionamento de tudo. Isto existe por causa daquilo. Aquilo existe em razão de outras causas e condições. As causas e condições de algo podem ser efeito de outras situações, numa trama ilimitada. E o ponto principal para mestre Eihei Dogen: causa, condição e efeito são simultâneos.

> Tudo o que existe é o cossurgir interdependente e simultâneo.
>
> *(Buda)*

Nascido de meu corpo, boca e mente – O carma é produzido pelo corpo (ações, gestos, movimentos que causem desconforto, dor, sofrimento, abuso); produzido pela boca (palavras falsas, errôneas, que levam à confusão e à desarmonia; gritos, imprecações, tons de voz alterados e provocativos); produzido pela mente (pensar de forma incorreta, manter pontos de vista falsos).

Agora, de tudo, eu me arrependo – Arrepender-se é transformar-se. É o voto, o compromisso de se auto-observar em profundidade e de se automodificar para evitar produzir carma prejudicial e gerar bom carma. Não é apenas o pedido de perdão a uma pessoa ou a uma deidade. É a capacidade de escolher sua resposta ao mundo. Deixar de apenas reagir às provocações, mas agir de maneira assertiva e clara, luminosa e compassiva para o bem de todos os seres.

Que possamos produzir carma benéfico incessantemente.

Mãos em prece.

– Monja Coen

Kasaya: *o-kesa* e *rakusu*
O manto de Buda

Na Índia antiga, os discípulos e as discípulas de Buda se vestiam como os outros renunciantes. Não havia um hábito comum a todos.

Certa feita, o rei de Magada, Bimbisara, confundiu um renunciante de outra ordem com um discípulo de Buda. Então sugeriu que Buda considerasse criar hábitos por meio dos quais seus discípulos pudessem ser identificados.

Buda pediu a Ananda, seu atendente, que criasse uma roupa tão harmoniosa quanto uma plantação de arroz. Assim surgiram os hábitos monásticos. Eram uma espécie de saris, feitos de vários pedaços de tecido costurados de modo a lembrar um campo. Esses mantos foram chamados de *kasaya*, na Índia. No Japão, são conhecidos como *kesa* e, honorificamente, *o-kesa*.

A *o-kesa* pode ser de cinco, sete, nove ou mais tiras verticais. É usada por monges e monjas. Na China, foi criada uma versão pequena do manto de cinco tiras verticais, que passou a ser chamada de *rakusu*.

O *rakusu* pode ser usado por pessoas laicas que recebem os preceitos budistas e também por monjas e monges em certas ocasiões.

Perguntas recorrentes de nossa *Sanga*

De que cor deve ser o rakusu*?*

O *rakusu* nunca deve ser de uma cor pura (por exemplo, azul, vermelho, amarelo...). Geralmente são usados tecidos de cores discretas como marrom, cinza, azul-escuro. Recentemente, nos Estados Unidos, uma nova ordem zen-budista, chamada Zen Peacemakers, desenvolveu um *rakusu* feito de tecidos de várias cores diferentes. Mas isso é específico dessa ordem. Tanto no Japão como em muitos outros países, os *rakusus* de pessoas leigas são feitos de cores neutras e com linhas também de cores neutras, da mesma cor ou de um tom próximo ao tecido escolhido. No Zen Center de Los Angeles, nas décadas de 1980 e 1990, todos e todas as praticantes usavam apenas *rakusus* pretos.

Monjas e monges devem sempre usar rakusu *preto?*

Noviças e noviços só podem usar *rakusu* preto. Depois da transmissão do *Darma*, é permitido aos monásticos usar *rakusu* de outras cores e tons.

O rakusu *ou a* o-kesa *devem ser obrigatoriamente costurados pelo próprio praticante?*

Na época de Xaquiamuni Buda, cada praticante costurava o próprio hábito. Essa é a tradição. No capítulo "Kesa Kudoku", do *Shôbôgenzô*, mestre Eihei Dogen determina que uma *o-kesa* de sete tiras seja costurada em sete dias, por exemplo. Atualmente, existem lojas especializadas, em vários países, que fazem todos os hábitos budistas. Também há ocasiões em que algumas pessoas costuram o *rakusu* ou a *o-kesa* para outras. É comum que discípulos e discípulas se unam para costurar um dos grandes mantos (mais de onze tiras) de seus mestres ou mestras.

Alguns rakusus *têm uma argola na alça; outros, não. Por quê?*

A argola nos *rakusus* foi estabelecida pela tradição Soto Shu, há muitos anos, como a forma correta. Da mesma maneira que foi acordado que a parte superior das *o-kesas* fosse amarrada com um cordão especial e virada para fora. Os praticantes do mosteiro de Eiheiji prendem parte desse tecido, enquanto os do mosteiro de Sojiji os deixam solto. Assim, pode-se saber a qual dos templos-sede no Japão um monge ou monja está ligado. Entretanto, na própria Soto Shu houve uma revisão das tradições antigas e passou-se novamente a fazer o *rakusu* sem argola e a *o-kesa* amarrada com pedaços do próprio tecido e com as bordas superiores voltadas para dentro. Esse tipo de *rakusu* e *o-kesa* é respeitado por todos. Por recomendação do atual superintendente geral para a América do Sul, reverendo Dôshô Saikawa Sôkan Rôshi, algumas pessoas estão colocando argola nos *rakusus* que são desenhados para não ter argola. A reverenda Aoyama Shundo Docho Roshi, abadessa do Mosteiro Feminino de Nagoya, no Japão, por exemplo, recusa-se a aceitar *rakusus* com argola se estes forem do modelo sem argola. Logo, há várias possibilidades. *Rakusus* com argola, em princípio, não são pespontados como os sem argola. Toda a sua costura é diferente.

Onde o rakusu *ou a* o-kesa *devem ser guardados, em casa ou no templo? Podem ser usados em situações fora da prática?*

Xaquiamuni Buda determinava que seus discípulos e discípulas sempre mantivessem seus mantos, tigelas e outros itens consigo.

Assim, a tradição determina que cada pessoa mantenha consigo seus *rakusus* e *o-kesas,* que são símbolos do voto de seguir os ensinamentos de Buda e de manter os preceitos. Logo, podem e devem ser usados para meditar, estudar o *Darma*, orar ou participar de alguma celebração religiosa – tanto no templo como em outro local.

Em algumas* Sangas, *a pessoa que recebe os preceitos é chamada de bodisatva. Podemos nos considerar bodisatvas?

Sim, se mantivermos os votos de bodisatva. A *Sanga* de Buda é composta de bodisatvas monges, bodisatvas monjas, bodisatvas leigos e bodisatvas leigas. Os preceitos incluem os votos de bodisatva:

> Seres são inumeráveis, faço o volto de salvá-los.
>
> Desejos são inexauríveis, faço o voto de extingui-los.
>
> Portais do *Darma* são inumeráveis, faço o voto de apreendê-los.
>
> O Caminho de Buda é insuperável, faço o voto de me tornar esse Caminho.

Como deve ser recitado o verso no momento de vestir o* rakusu *ou a* o-kesa*? É preciso recitá-lo em japonês também?

O poema de vestir o *rakusu* ou a *o-kesa* é o seguinte:

> Vasto é o manto da libertação.
> Sem forma é o campo de benefícios.
> Uso os ensinamentos do Tatagata
> para salvar todos os seres.
>
> Dai sai gue da puku
> Mu so fuku den e
> Hi bu Nyorai kyo
> Ko do sho shujo

Deve-se colocar o manto dobrado sobre a cabeça e, com as mãos em *Gassho* (palma com palma), recitar o poema. Pode ser apenas em português, apenas em japonês ou em ambos os idiomas. Pela manhã não se usa o *rakusu* ou a *o-kesa* nos primeiros períodos de *zazen*. Ao término desses períodos, todos devem dispor o manto sobre a cabeça e recitar com o grupo, em voz alta. É bom saber o poema também em japonês, pois, em todos os países do mundo, praticantes da Soto Shu o conhecem e podem recitá-lo. É importante saber o seu significado. Ao longo do dia, uma vez que se tenha vestido o *rakusu* ou a *o-kesa* pela manhã, não será mais necessário entoar o poema em voz alta se precisar vesti-los novamente em algum outro momento. Basta fazê-lo silenciosamente. Mas é sempre adequado estar na posição de *zazen* ou de joelhos.

Algumas pessoas, ao vestir o* rakusu *ou a* o-kesa*, se posicionam em frente ao altar de Kannon. Outras os vestem na sala de* zazen. *Qual é o local mais indicado?

O mais adequado é na posição de *zazen*, na sala de *zazen*. Se for em outro local, devemos nos ajoelhar, colocar o *rakusu* ou a *o-kesa* sobre a cabeça rapidamente, entoar o verso e vesti-los com respeito e dignidade.

Em que momento o* rakusu *ou a* o-kesa *devem ser retirados? Existe algum procedimento especial?

Há uma maneira correta de retirar tanto o *rakusu* quanto a *o-kesa*. A posição do corpo deve ser a mesma de quando os vestimos – em *zazen* ou de joelhos. E, ao serem retirados, precisam ser dobrados da maneira tradicional, ensinada pelos praticantes mais experientes.

Durante um *sesshin*, os procedimentos são diferentes em relação ao dia a dia?

Durante um *sesshin* (retiro intensivo), usamos o *rakusu* ou a *o-kesa* quase o dia todo. Quando formos ao banheiro, devemos retirá-los e pendurá-los no suporte do lado de fora. Se o chão for de cimento e do lado externo da edificação, é permitido tirar e recolocar o manto estando em pé. Sempre mantendo o decoro e o respeito.

***É possível ter mais de um* rakusu?**

Sim. Algumas pessoas têm *rakusus* e *o-kesas* de verão, meia-estação e inverno. Outras, ganham *rakusus* e *o-kesas* de presente. Originalmente, monges e monjas tinham três *o-kesas*: pequena, média e grande. Nos dias mais frios, usavam uma sobre as outras. Para atividades diárias, usa-se apenas a pequena – de cinco tiras, que deu origem ao *rakusu*.

O rakusu *ou a* o-kesa *podem ser lavados?*
Existe algum procedimento especial para isso?

Sim. Podem ser lavados e há procedimentos especiais. Dogen Zenji, no capítulo "Kesa Kudoku" (Méritos da O-kesa), do *Shôbôgenzô*, detalha todos os pormenores da escolha dos tecidos, sobre como cortá-los, como costurá-los, como usar a *o-kesa* e como lavá-la. O procedimento pode ser feito com cinzas (o "sabão" de antigamente) e, durante a lavagem, deve-se entoar o *Verso da O-kesa*. Antes e depois da lavagem é necessário incensar cuidadosamente o *rakusu* ou a *o-kesa*, secar e passar com silencioso respeito. Muitas vezes, os *rakusus* têm uma entretela que pode encolher, e os escritos na parte branca do verso podem se desgastar. Logo, é preciso muita atenção e cuidado. Talvez uma lavagem a seco para o *rakusu* seja mais aconselhável.

Lembre-se sempre de que o *rakusu* ou a *o-kesa* simbolizam seu compromisso e que os méritos de um compromisso mantido são incomensuráveis, prevenindo as pessoas de cometer erros, causar sofrimentos ou se desviar do Caminho de Buda.

Se você agora os tem, mantenha-os bem.

Mãos em prece.

– Monja Coen

Ano 14 • nº 51

Janeiro/fevereiro/março de 2015
– Feliz Ano Buda 2581!

Ano-Novo

Celebremos o fim e o princípio. Celebremos aqui, neste momento em que *intersomos*. Celebremos a vida e a morte.

Sem princípio e sem fim.

Celebremos cada momento único, sem perder o deslumbramento, o maravilhamento com a existência.

A flor se abre e a abelha recolhe seu néctar.

Há sons e há silêncios.

O céu e o mar têm infinitos tons de azul, verde, branco, cinza.

Os pássaros têm trinados diferentes. Cada um revela seu tamanho, sua fala, sua intenção, sua alegria, seu medo.

Os carros soam cada um de acordo com seus motores. Os pneus deslizam, derrapam, freiam, queimam, murcham, enchem-se de ar.

Pessoas humanas são tantas. De cores, tamanhos, formatos, entranhas. Pensamentos, religiões, espiritualidades, filosofias, etnias, culturas, tradições. Por que lutamos? Por que brigamos? Por que nos provocamos tanto e tanto?

Desenvolver a mente Buda é praticar Buda. Compreender. Observar em profundidade. Ir além das dualidades. Presença absoluta.

No fim do ano passado, recebemos o reverendo Junnyu Kuroda Rôshi aqui no Brasil. Ele palestrou em nosso templo em São Paulo e abriu o olho Buda na grande estátua do Via Zen, em Viamão-RS.

Abrir o olhar Buda é nosso dever e nosso direito de nascença. Não só na imagem, na estátua de pedra, mas em cada ser humano. Esse olhar acolhe, inclui e se percebe uno com o indivisível.

Ano Buda de 2581. Ano-Novo é momento de renovarmos nossos votos: nunca fazer o mal, sempre fazer o bem e sempre fazer o bem a todos os seres. A ênfase é necessária, importante, clarificadora. Não é o bem que eu, pequenina, penso e desejo para mim, como se eu pudesse estar separada de tudo o que é. O comprometimento é com todos os seres de todos os países, de todas as partes de nosso corpo comum, nossa Terra, nosso céu, nosso lar. A Via Láctea, o multiverso sempre a se transformar.

Abrigarmo-nos nos Três Tesouros: Buda, *Darma* e *Sanga*. E, ao reconhecermos Buda em tudo o que é, reconhecemos o *Darma*, reconhecemos a *Sanga* e nos alegramos. Nossa mente-coração-essência Buda fica em tranquilidade por saber agir de maneira adequada. Sem dentro nem fora. Estamos sempre no aqui e no agora, que é nossa casa e nosso tempo.

O calendário chinês chamará este ano, a partir de 19 de fevereiro, de Ano do Carneiro. Há quem diga "Ano do Cordeiro", filhote de ovelha. Seria o Cordeiro de Deus, que lava os pecados do mundo? Nossos pecados lavados? Nossas ganâncias, raivas, ignorâncias e todos os seus derivados livres de ocorrer? Que assim seja.

Há quem confunda e o chame de Ano da Cabra – leite de cabra, queijo de cabra, cabra da peste, cabra-macho? Há quem erre e diga ser o Ano do Bode. Que bode? Da maçonaria ou das dificuldades (da expressão "deu bode")?

Oro e me comprometo a fazer o meu melhor e ir além do meu melhor, para que seja o ano da ovelha mansa e terna, que dá lã e conforto para que todos os seres tenham carinho, música, ternura, sabedoria, maciez e compaixão.

Libertando-nos das raivas, das vinganças, das chifradas internas e externas. Que o olhar Buda seja o olhar da paz na Terra.

Mãos em prece.

– Monja Coen

Grande Buda do Rio Grande do Sul

Seis anos para levantar nove metros.

Nas noites estreladas, o Grande Buda tem como espalmar o céu iluminado. É Buda que ilumina os céus e a Terra ou a Terra e os céus que fazem Buda? O que é Buda? O que são o céu e a Terra senão você e eu?

O reverendo Junnyu Kuroda Rôshi veio especialmente de Tóquio para a Cerimônia de Abertura do Olho Buda. Abrir o olho Buda, colocar a essência, a mente, o coração. Abençoar a imagem. Abençoar o trabalho de toda a *Sanga*. Abençoar a prática verdadeira do monge Dengaku Sensei, levando adiante, com a mão na massa, literalmente, a estátua criada pelo artista plástico Denshin Nackle.

O monge Dengaku Sensei perdeu o medo de altura e terminou a estátua – entre suor e lágrimas, sorrisos e frio –, colocando os últimos arremates nas mechas encaracoladas no topo da cabeça de Xaquiamuni Buda.

Monja Shoden, sempre ao seu lado, e toda a *Sanga* do Via Zen, Vale dos Sinos, Águas da Compaixão, Taikanji, de Pedra Bela-SP, Zendo Rio Santa Teresa, Zendo Brasília, Zendo Campina Grande, Teresina, Uberlândia, Ribeirão Preto, Montevidéu e a nossa comunidade Zendo Brasil, aqui de São Paulo, estiveram presentes.

Representando nossa sede administrativa, o monge Koeda Sensei também foi à inauguração. O superintendente geral da Ordem Soto Shu para a América do Sul, reverendo Dosho Saikawa Sookan Rôshi, enviou uma doação e suas bênçãos. O mesmo fez o reverendo Koshu Sato Sensei, do templo Zenguenji, de Mogi das Cruzes. Honrou-nos a presença do lama Padma Santem e da *Sanga* do CEBB Caminho do Meio.

Assim, a imagem de Buda (talvez a maior das Américas) foi abençoada pelas estrelas distantes e pelo sol, e agora se ergue em terras gaúchas, a cerca de quarenta quilômetros de Porto Alegre, olhando as verdes matas. Um Buda de nove metros de altura que dá as boas-vindas a praticantes de todas as partes do mundo. Pessoas comprometidas com a prática incessante e verdadeira dos budas e das budas ancestrais.

Ao lado direito da imagem já foi construído um Zendo (sala de meditação zen) com 96 lugares. Será erigida, em 2015, a Sala de Buda e, em 2016, devemos terminar a construção da cozinha definitiva e do refeitório. Para isso, contamos com as doações de todos e todas. Doações em ajuda financeira e em disponibilidade de tempo para trabalhar a terra, o cimento, a areia, as pedras, os tijolos, as telhas. Trabalhar a mente iluminada.

É tempo de "construir Buda", "Buda interior e exterior". Assim são os líricos escritos do monge Joji, grande peão de Buda e importante auxiliar nessa obra, que continua e que se abre para que possamos ter locais adequados a budas ancestrais do *Darma*. Representando os budas e as budas vivos, o Ser Iluminado em cada um de nós, em cada partícula, em cada molécula, em cada próton e em cada elétron.

O estímulo, deixo para quem pratica o Caminho de Buda. "O que é a Natureza Buda? O que é existir e o que é não existir? O que é transcender o sagrado e o profano? O que significa *interser*?"

Mãos em prece.

– Monja Coen

Ano 14 • nº 52

Abril/maio/junho de 2015 – Ano Buda 2581

Mãe Buda

A rainha Maia, esposa do rei Sudodana, deu à luz o pequenino Sidarta Gautama no que hoje seria o dia 8 de abril. Parto natural, em um jardim. Segurou-se com uma das mãos no galho de uma árvore, e o bebê então nasceu. Flores desabrocharam. Do céu, as divindades fizeram cair um néctar adocicado. Nascia um ser abençoado pela terra e pelos céus.

A mãe ficou feliz ao saber as predições sobre o futuro de seu bebê: seria um grande líder político ou religioso. Assim ela pôde morrer tranquila. A mãe Buda biológica, que deu tudo de si para a formação do corpo físico do filho, morreu.

Sidarta tinha apenas uma semana de vida quando foi tomado ao colo por sua tia, que o amamentou e o criou como se fosse um de seus próprios filhos. Ela se tornou a rainha Mahaprajapati. A mãe Buda de criação, transmitindo-lhe saúde e valores éticos básicos de educação e respeito. Mahaprajapati tornou-se mais tarde a primeira monja histórica, seguindo seu filho no Caminho Iluminado e liderando mais de quinhentas mulheres.

Quando Sidarta fugiu do castelo no meio da noite e se tornou um asceta peregrino, deixou saudades e preocupações. Quando voltou para uma breve visita, já um Buda, um Ser Iluminado, o Desperto, havia se tornado filho da Sabedoria Perfeita. A mãe de todos os budas é a Sabedoria Suprema.

Mahaprajapati seguiu-o, percebendo que ela também poderia ser filha da Sabedoria. Praticou incessantemente. Teve inúmeras discípulas e iniciou a ordem feminina. Morreu tranquila, ao lado de seu filho amado.

Em maio, celebramos no Brasil o Dia das Mães. Tantas e de tantas capacidades diferentes. Algumas se tornam mães budas – iluminadas, despertas, sábias e plenas de compaixão. Mães pobres e mães ricas. Mães de santo e madres católicas, boas mães, más mães, madrastas e "boadrastas". Mãe negra, mãe branca, mãe vermelha, mãe amarela. Carrega a cria nas costas, na frente, no lado. Carrega na barriga. Carrega no coração, na boca, na cabeça. Não dorme até voltar para a casa, se preocupa, fala, exige, briga, bate, beija, faz as pazes. Educa, deseduca, maltrata, tortura, mata, vence o instinto e enche a criança de bombas. Mães há de todo feitio: as que cantam, as que encantam.

Há mãe de proveta, mãe de aluguel, mãe substituta. Alimenta, escuta, remedeia, apoia, tem ciúme. Mãe que sofre, filho ou filha que morre, filho ou filha que vai embora, viaja, some, vai para a cadeia, vira religiosa, sai da família, briga para nunca mais perdoar, desaparece. Mãe que espera na dor, na solidão, no medo, na culpa, na desculpa.

Mas quando a mãe *Prajna Paramita* chega, quando nos alimenta com a Verdade Suprema, todas as outras mães se aquietam. *Prajna Paramita* é a mãe de todos os budas e todas as budas. É preciso reencontrá-la.

Órfãos carentes, não a reconhecemos imediatamente. Entretanto, ela está sempre presente, nos protegendo e nos amando na vida-morte, na morte viva. Como a mãe Terra – exuberante, sustentando, alimentando, cuidando e exigindo. Amor exigente.

Quem conseguir perceber, acordar, despertar, a encontrará aconchegada em seu colo (solo) abençoado. Por todo o agora e por todo o sempre.

Gratidão, mamãe, pelo que sou e pelo que não sou. Pelo que fui e pelo que deixei de ser, pelo que serei sem ainda o saber. Bênção, mãe!

Mãe biológica, mãe de criação, mãe adotiva, mãe substituta, mãe Terra, mãe vida, mãe *Prajna Paramita*.

Que eu saiba retribuir e compartilhar o bem que você me faz.

Mãos em prece.

– *Monja Coen*

Espelho antigo

O espelho antigo espelha o espelho claro.

O espelho claro espelha o espelho antigo.

Quando entre os dois surge uma pessoa, é refletida eternamente.

Quando surge um gato, uma árvore ou um objeto, são refletidos eternamente.

Entretanto, quando a pessoa, o gato, a árvore, o objeto se afastam, o reflexo desaparece.

> "Você não é ele, mas ele é tudo de você."
>
> *(Mestre zen Tôzan Ryôkai Daioshô, 807–869)*

Por muito tempo, mestre Tôzan praticou esperando encontrar a iluminação perfeita. Certo dia, depois de observar sua face em um riacho tranquilo, escreveu o seguinte poema:

Não procure fora,

pois, assim, a verdade se afasta mais e mais.

Quando só, eu prossigo comigo mesmo.

Eu o encontro aonde quer que eu vá.

Eu não sou ele.

Mas ele é tudo de mim mesmo.

Compreendê-lo é identificar Buda.

O reflexo e o refletido são o espelho antigo.

Tudo está o tempo todo pregando o *Darma.*

O ensinamento da verdade suprema é livre.

Entretanto, se não houver prática, não haverá Iluminação.

Claramente penetrando a verdade, em contato direto com a realidade, a visão correta se revela pura, cristalina, límpida.

“O corpo não é moldura, a mente não é espelho.
Desde o princípio, nada existe. Onde a poeira poderia se assentar?”

(Poema do Sexto Ancestral na China, mestre zen Daikan Enô Daioshô, 638–713)

Nada fixo, nada permanente. O nada-tudo, vazio de uma entidade fixa, eternamente em movimento.

Espelho antigo. Espelho claro.

Se embaçado, o espelho espelha o embaçado claro e antigo.

“Estranho. Realmente estranho.

O *Darma* (ensinamento, lei verdadeira)

pregado por todas as coisas é impensável.

Se ouvir com os ouvidos, não ouvirá nenhum som.

Poderá compreender se ouvir com seus olhos.”

(Poema do mestre zen Tôzan Ryôkai, 807–869)

Ouvir com todo o corpo. Penetrar até a medula.

Nas profundezas do vasto oceano do *Darma.*

Além, muito além dos conceitos e das ideias, dos pensamentos e dos códigos de valores. Lá, onde tudo se forma e se dissolve. Origem, meio e fim.

Apreciando a imagem refletida no grande espelho.

Mas a imagem é múltipla, incessante, e o espelho está vivo com a vida e morto com a morte.

Somos a moldura, o espelho, o vazio.

Somos a poeira, a imagem, o reflexo, o nada.

Apreciemos a nossa vida – um reflexo, uma imagem, um espelho, um momento, uma eternidade.

Mãos em prece.

– *Monja Coen*

Ano 14 • nº 53

Julho/agosto/setembro de 2015 – Ano Buda 2581

Mente vazia – mente plena

Qual o princípio fundamental do zen-budismo? Por que praticamos? A que leva essa prática? O que é o despertar da consciência? Como sair do antropocentrismo e desenvolver uma consciência cosmológica e abrangente da vida? O que é a Lei, o *Darma*, o cossurgir interdependente e simultâneo de tudo o que é e de tudo o que não é?

O vazio, o assim como é, a origem codependente – reciprocidade e reversibilidade. Não há nada unidirecional. Não é o absoluto. Não é o relativo. Por isso é chamado de vazio. No vazio tudo é assim como é. As diferenças são claramente percebidas, bem como a sua interdependência. Por isso, o vazio é pleno: a distinção de cada aspecto é claramente realizada.

Quem desperta para a realidade, quem compreende o cossurgir, a interdependência, o vazio, o tal qual é, pode ser chamado de Ser Iluminado, de Buda, de seguidor dos ensinamentos do Buda histórico, de sucessor da linhagem, de Buda ancestral. É alguém que entrou na correnteza, que compreendeu o princípio fundamental, que sabe por que pratica, sabe que, embora a prática não leve a lugar nenhum, nos leva a conhecer nosso *eu* original – nossa consciência pura, cosmológica. Podemos sair do estado alterado de consciência em que muitos de nós nos encontramos: ansiedades, depressões, expectativas, raivas, bipolaridades. Adentramos o estado natural da consciência, da mente, da compreensão da Natureza Buda, de *Nirvana*, de tranquilidade e harmonia com o fluir da existência.

Entre os inúmeros budas ancestrais, na nossa linhagem Soto Zen, alguns se tornaram mais conhecidos. Um deles foi chamado de Sexto Ancestral na China, por ser o sexto sucessor de BodiDarma – o monge que levou os ensinamentos da Índia para a China, no século 6. Simultaneamente, foi a 33ª geração de sucessores do Buda histórico, Xaquiamuni Buda. Seu nome era Daikan Eno, e viveu de 638 a 713.

O Caso 23 do *Portal sem Portas* (Mumonkan), uma série de contos zen compilada pelo monge Mumon Ekai (1183–1260), reconta um episódio importante desse ancestral do *Darma*:

O Sexto Ancestral foi perseguido pelo monge Myô até as distantes montanhas Taiyu.

O ancestral, vendo a chegada de Myô, colocou o manto e as tigelas sobre uma rocha e disse:

– Este manto representa a fé. Não se pode brigar por causa dele. Se você o quer levar, leve-o agora.

Myô tentou levantar o manto, mas ele era mais pesado que uma montanha, e não se movia. Tremendo e gaguejando, falou:

– Vim para o *Darma*, não pelo manto. Suplico: por favor, me instrua.

O ancestral disse:

– Não pense nem no bem nem no mal. Neste exato momento, qual é o *eu* original do monge Myô?

Ao ouvir essas palavras, Myô foi diretamente iluminado. Seu corpo cobriu-se de suor. Chorou e prostrou-se, dizendo:

– Além das palavras secretas e do significado secreto que agora o senhor me revelou, existe ainda algo mais profundo?

O ancestral respondeu:

– O que disse a você não é nenhum segredo. Quando você enxerga seu *eu* verdadeiro, o profundo está exatamente aí.

Myô disse:

– Eu estive com os monges de mestre Ôbai por muitos anos, mas não fui capaz de realizar meu verdadeiro *eu*. Agora, recebendo sua instrução, sei, assim como um homem que bebe água sabe se ela está fria ou quente. Meu irmão leigo, você agora é meu mestre.

O ancestral falou:

– Se assim você o diz... Mas vamos nós dois chamar Ôbai de nosso mestre. Lembre-se de que o que agora obteve é um tesouro incalculável. Preserve-o bem.

Daikan Eno era órfão de pai. Tornou-se lenhador para sustentar sua mãe.

Certo dia, ouviu a seguinte frase: "Sem fixar-se em parte alguma, a mente funciona". Era uma frase do *Sutra do Diamante*, e quem o recitava era um dos monges discípulos do Quinto Ancestral, conhecido como mestre Ôbai.

Eno despertou. Deixou a mãe e foi ao mosteiro. Serviu, como leigo, durante oito meses. O mestre um dia o chamou a seus aposentos e o reconheceu como seu sucessor. Auxiliou-o em sua fuga, levando a tigela e o manto, símbolos do *Darma*. Ele foi seguido pelo monge Myô, que havia sido um general. O diálogo acima ocorre.

A mente vazia de Myô: não pensar no bem nem no mal, nem em si mesmo nem nos outros. As palavras do Sexto Ancestral auxiliam a ruptura: o *eu* original é a mente vazia. No silêncio, onde todos os sons habitam. No não *eu*, onde todos os seres intersão.

Mãos em prece.

– Monja Coen

Ano 14 • nº 54

Outubro/novembro/dezembro de 2015 – Ano Buda 2581

Transmissão

A missão de transitar, de passar adiante, até mesmo de transgredir, sem macular. Ir, ir, continuar indo, indo. O ponto de chegada é o ponto de partida. O Círculo Perfeito, onde todos e todas as budas ancestrais se reconhecem semelhantes, mas não iguais. O mestre será sempre o mestre. O discípulo se torna mestre de outro discípulo e rende homenagem aos seus mestres. Sem cessar. A roda gira. Nada falta, nada excede. De Xaquiamuni Buda a Makakasho e a Mahaprajapati.

Pouco falam sobre as monjas e a transmissão do *Darma*. A linhagem masculina se impõe como única, inquebrantável e verdadeira. A feminina apresenta uma lacuna – suficiente para ser desconsiderada. Assim, monjas recebem os preceitos de monges. Monjas podem, hoje em dia, ordenar monges e monjas, leigos e leigas, mas isso é recente. Ocorreu a partir da década de 1950. Kojima Sensei foi quem defendeu o direito das monjas de ter as mesmas qualificações dos monges, na tradição Soto Zen, do Japão. Hoje há uma certa equidade.

Contentamo-nos com pequenas vitórias: podemos usar mantos de cores diversas, oficiar casamentos, enterros, fazer ordenações leigas e monásticas. Podemos nos tornar professoras e mestras. Podemos nos tornar abadessas de conventos femininos. Jamais, porém, podemos pensar em nos tornar parte do colegiado maior ou imaginar que uma monja possa se tornar *zenji* – mestra zen, responsável por um dos mosteiros-sede no Japão (Eiheiji ou Sojiji). Muito menos assumir o cargo de superintendente geral da Ordem. Ainda assim, podemos transmitir o *Darma* a nossos sucessores e sucessoras.

Certa ocasião, o antigo abade de Eiheiji – e na época *kanchô*, mestre geral de toda a ordem Soto Shu – me recebeu em seus aposentos e me disse: "Cabe agora às monjas levar adiante o *Darma* de mestre Dogen Zenji Sama. Os monges se perderam, disputando politicamente cargos e posições hierárquicas. Siga adiante e leve o *Darma* de mestre Dogen Zenji Sama".

Saí empoderada dessa sala de visitas. Venho tentando manter um relacionamento de respeito e cuidado com nossa sede administrativa no Japão. Entretanto, a missão maior é incentivar as pessoas a praticar *zazen*, a penetrar a essência da mente, a viver em pureza, apreciando cada momento da vida e tendo a clareza do discernimento correto.

Quando alguém compreende o que deve ser compreendido, a transmissão ocorre. Os ensinamentos secretos da ordem são revelados e reconhecidos. Copiamos desenhos e textos antigos. Relembramos o sagrado que sempre esteve em nós. Redescobrimos nosso nome, nossa vida, nosso sangue circulando na mesma linhagem dos budas ancestrais. Agradecemos a todos os mestres em nosso mestre. Reconhecemos Dogen Zenji Sama, Keizan Zenji Sama, Gasan Joseki Sama e toda a linhagem feminina e masculina, à qual nos comprometemos a dar continuidade.

Verificamos que no Caminho não há fundador do Sul ou do Norte, não há preferências por monges ou monjas, por jovens ou idosos. Cada pessoa que desperta para a mente iluminada é a manifestação de Xaquiamuni Buda. Entretanto, se não houver prática, não haverá iluminação. Prática incessante é estimular sinapses neurais de conexão com Buda, a Iluminação Suprema.

Venha ao templo, pratique *zazen*, deixe de lado todas as preocupações e penetre a essência da mente. Torne-se, assim, livre, coerente e responsável por sua vida e pela vida da Terra.

Mãos em prece.

– Monja Coen

Ano 15 • nº 55

Janeiro/fevereiro/março de 2016 – Ano Buda 2582

Feliz Ano Novo – Ano Buda 2582

O rito de um novo ciclo no círculo espiral ascendente de vida-morte está aberto. Incessante transformar. Nada fixo, nada permanente. E tudo interligado. *Intersendo*. Celebramos em janeiro a entrada do Ano do Macaco.

Quando visitei Délhi, há muitos anos, fui conhecer a morada de Mahatma Gandhi, hoje um museu. Lá viveu aquele homem simples, que fez um voto de pobreza e dignidade. Deixou pouquíssimos pertences – um par de óculos, uma colher, papéis, roupas e pequeninas estátuas de três macacos. Um deles tapa os ouvidos – não ouvir o mal. O segundo esconde os olhos com as mãos – não ver o mal. E o terceiro tapa a própria boca – não falar o mal.

Nos ensinamentos de Buda Xaquiamuni, os preceitos puros são: não fazer o mal, fazer o bem e fazer o bem a todos os seres.

Os três macaquinhos nos lembram de ter cuidado e evitar o mal. Seu aspecto positivo é falar, ver e ouvir o bem, com clareza, com discernimento correto, por meio da mente Buda.

Praticar Buda é estudar, ouvir, entender e vivenciar o *Darma*.

Praticar o *Darma* de Buda é estar na *Sanga*.

Os Três Tesouros, Buda, *Darma* e *Sanga*, não existem separadamente.

No Rio Grande do Sul, em Viamão, a cerca de quarenta quilômetros de Porto Alegre, celebraremos os vinte anos de início e prática incessante do Via Zen. A montanha do Grande Buda nos aguarda para o retiro de Carnaval e se mantém aberta para quem quiser participar da construção de uma ecovila, de um local comunitário (*Sanga*) para a prática incessante do bem e do despertar por meio do *Darma* de Buda. Sejam bem-vindos e bem-vindas.

Que o Caminho Iluminado se abra a todos os seres e que a Sabedoria Perfeita permita que as lideranças nacionais e mundiais encontrem o diálogo e a capacidade de cuidar com respeito e dignidade da vida na Terra.

Estaremos em *zazen* (meditação), em oração (liturgia, leitura de sutras) e em trabalho (*samu*), abrindo as portas para os cursos de introdução ao zen-budismo (módulos I, II e III) aqui em São Paulo e nos outros centros associados no Brasil e no mundo.

Em janeiro, celebramos o nascimento do mestre Eihei Dogen, fundador da nossa ordem, a Soto Shu.

Em fevereiro, o *Parinirvana* (*Nirvana* final) de Xaquiamuni Buda.

Em março, o equinócio de outono e as liturgias de O-Higan-e.

Participem e se comprometam a seguir o que nos indicam os três macaquinhos.

Que o bem e a paz prevaleçam na Terra.

Mãos em prece.

– Monja Coen

Ano 15 • nº 56

Abril/maio/junho de 2016 – Ano Buda 2582

Cerejeiras em flor

> “As pétalas que ainda não caíram são as que cairão.”

Durante dez dias as cerejeiras florescem no Japão. Belíssimas pétalas branco-rosadas nos galhos marrom-escuros. Nenhuma folha verde. E se tornam abundantes: as árvores dos dois lados dos rios e das ruas formam túneis luminosos.

O vento faz voar as pétalas macias. As calçadas e as águas se cobrem de pétalas. As primeiras folhas surgem. Chuva e vento derrubam mais pétalas, até que, finalmente, as cerejeiras se tornam verdes.

Todos os anos, na primavera, há dez dias dessa beleza exuberante. E neste ano pudemos apreciá-la.

A monja Waho precisava ir aos mosteiros-sede de Eiheiji e de Sojiji para oficiar as cerimônias matinais, confirmando sua capacidade de ser reconhecida como monja da Ordem Soto Zenshû – essa foi a razão de nossa ida. Quem nos acompanhou foi o monge Hoon, ainda um noviço, que cuida da pequenina recém-nascida *Sanga* de Petrópolis, no Rio de Janeiro. Assim, nós três partilhamos a beleza efêmera das cerejeiras em flor.

Caminhamos por ruas atapetadas de pétalas, sorrimos às pétalas que voavam sobre nós, vimos jovens comendo, bebendo e rindo sob árvores frondosas, iluminadas à noite, na Jinja de Kyoto. E nos sentamos também, apreciando as cerejeiras e alguns alimentos simples.

Nossa vida é semelhante a esse desabrochar. Surgem os primeiros botões pequeninos, que vão se abrindo em cinco pétalas. Há um momento de apogeu e, depois, o despetalar. Dependendo das circunstâncias, o processo é mais longo ou mais lento. Mas sempre acontece, em cada momento. O transformar é incessante.

A árvore se mantém por gerações e gerações. Assim também os DNAs. O DNA humano, transmitido de geração a geração, é a continuação da espécie.

No zen-budismo, nós também temos a missão de transmitir o *Darma* de Buda. A transmissão do *Darma* é a confirmação, por alguém anteriormente confirmado, de que mais alguém compreendeu os ensinamentos de Buda e pode transmiti-los.

Compreender os ensinamentos é compreender os selos do *Darma*: impermanência, nada fixo; *shunyata*, o vazio; a trama de relacionamentos que somos; e o *Nirvana*, estado de compreensão e tranquilidade.

Precisamos nos lembrar da verdade, mesmo sendo cada um e cada uma de nós a verdade manifesta. Estamos relacionados com tudo o que existe no céu e na terra. E tudo o que existe é chamado, por nosso fundador no Japão, mestre Eihei Dogen Daioshô Zenji (1200–1253), de Natureza Buda. Somos – e tudo é – a natureza iluminada manifesta.

Quem acessa esse nível de compreensão acessa a compreensão da vida humana e de toda a vida do universo. Viver de acordo com os ensinamentos é viver em plenitude sua própria natureza, que é a Natureza Buda.

É não falar dos erros e faltas alheios, é não se elevar e rebaixar os outros. É criar harmonia e respeito para que todos os seres se beneficiem.

Nossa viagem ao Japão – que durou dez dias, como o desabrochar das cerejeiras – foi macia e suave. Até mesmo o terremoto em Kyoto foi pequenino, nada feriu.

Mas a visita aos templos-sede de Eiheiji e de Sojiji, o reencontro com minha superiora Aoyama Shundo Docho Roshi no mosteiro feminino de Nagoya, o chá tomado com Ishizuki Roshi no mosteiro de Daiyuzan Saijoji e a acolhida terna do reverendo Kuroda Junnyu Roshi, do templo Kirigayaji, em Tóquio, e do templo Fujidera, em Shizuoka, me encheram de esperança e decisão. É preciso sempre recomeçar. É preciso estar sempre estimulando nossas sinapses neurais para não nos distanciarmos da prática verdadeira que nos faz estar em contato com a Natureza Buda.

Na visita ao templo de Kannon Bodisatva, em Asakusa, Tóquio, pude ouvir os monges recitando o *Sutra da Flor de Lótus da Lei Maravilhosa*, capítulo de Kannon Bodisatva. Essa bênção me trouxe de volta ao Brasil com a decisão de fortalecer cada vez mais a nossa *Sanga*, para que todos possamos ter fé e sabedoria suficientes para compreender a vida, os momentos de turbulência e os de tranquilidade, sem medo de viver em plenitude os ensinamentos de Buda.

Que os seres iluminados nos abençoem e protejam.

Mãos em prece.

– Monja Coen

Ano 15 • nº 57

Julho/agosto/setembro de 2016 – Ano Buda 2582

Comprometimento

A realização dos ensinamentos de Buda exige uma prática incessante. Mais do que exigir, a realização é a prática incessante. Entretanto, se não houver comprometimento, não haverá realização.

Mestre Eihei Dogen escreveu, em 1243, um texto precioso denominado "Kajo", e o incluiu em sua obra principal, o *Shobogenzo. Ka* significa *casa*, *lar* (*ie* é outra leitura em japonês do mesmo *kanji*), e *jo* é *constante*, *usual*, *diário*. Alguns tradutores, como Gudo Nishijima Roshi, traduziram para o inglês como *vida diária*.

No primeiro parágrafo, mestre Dogen escreveu:

> "Geralmente, na casa dos budas ancestrais, chá e refeições são *kajo* (a vida diária). Esse comportamento de chá e alimentação tem sido transmitido desde há muito e se manifesta até o presente. Assim, essa atividade vívida dos budas ancestrais, do chá e das refeições, chega até nós."

É interessante notar que mestre Dogen reafirma a atividade com o adjetivo *vívida*. Não é qualquer chá ou qualquer refeição. Como, quando e onde se prepara, se serve e se bebe esse chá, pleno de sabedoria, simplicidade e arte?

De que refeição estamos falando? Arroz com feijão é a refeição que nos torna completamente satisfeitos? A apreciação pela vida diária, pelas coisas simples, maravilhar-se com a existência, torna a refeição um banquete delicioso.

O que é essa satisfação completa, perfeita, em que nada falta e tudo se manifesta assim como é? O chá e as refeições na prática diária dos seres iluminados, os budas ancestrais.

Prática diária, incessante e comprometida é realização garantida. É beber chá e se alimentar. É estar presente em todas as atividades. Absolutamente presente, sem divisões, além das dualidades.

Não pense que tudo e qualquer coisa que fizer é o Caminho de Buda. É preciso que haja suficiência. O que é suficiência? O que é estar satisfeito por ter encontrado o estado de suficiência?

Os chamados espíritos famintos estão sempre sentindo insuficiência. Por mais que desejem, nada os satisfaz. Assim, passam seus dias em lamentações, lamúrias, julgamentos, comparações, insatisfações e misérias.

Mesmo morando em boas residências, recebendo boa remuneração por suas atividades, atenção, carinho, alimentos, bebidas, relacionamentos, sempre reclamam, desenvolvendo a inveja, o ciúme, a raiva, o rancor. Sem abandonar ideias pessoais, tornam-se incapazes de compreender e aplicar em suas vidas os ensinamentos sagrados. Esfomeados por migalhas, não percebem que todos os tesouros estão ao seu dispor, bastando apenas almejar pela sabedoria perfeita e praticar incessantemente.

Há pessoas que escutam os ensinamentos, que os compreendem, mas são incapazes de colocá-los em prática. Há outras que praticam com tanto empenho e determinação, que quase perdem o Caminho. Este é livre e leve. É um Caminho Suave – o mesmo nome de minha primeira cartilha na escola.

Sem julgar, sem comparar, sem escolher, sem selecionar, bebamos o chá e recebamos os alimentos do *Darma*. Assim encontraremos a felicidade verdadeira. Tranquila e suave, a mente repousa no agora.

Cada pessoa é assim como é. Não somos iguais. Somos semelhantes. Mas este ser não é fixo nem permanente. Estamos todos e todas nos transformando a cada instante. Permita-se fluir com o fluxo do Caminho e retorne ao Sagrado. Nada pode nos satisfazer melhor.

Então, eu os convido e as convido para o nosso grande banquete sagrado. Venham reaprender a apreciar sua vida com leveza e sabedoria. Venham receber o chá e os alimentos dos budas ancestrais. Adentrem a casa dos budas e percebam que nada falta e nada excede. *Zazen* é o portal principal. Venham praticar e penetrar o *samadhi* dos *samadhis*. Contentamento e plenitude aguardam as pessoas que por eles procuram.

Haverá duas cerimônias de *Sejiki-e* durante este trimestre. A primeira, de Obon, será no dia 17 de julho e a repetiremos no dia 14 de agosto. A segunda, Ohigan, será em 18 de setembro. São liturgias especiais, nas quais oferecemos alimentos a todos os espíritos para que se tornem satisfeitos. Sejam bem-vindos e bem-vindas. Tragam suas ofertas e recebam as bênçãos dos budas ancestrais.

Somos todos capazes de encontrar a felicidade, a plenitude e o *Nirvana* nesta vida.

Comprometam-se com a prática verdadeira.

Mãos em prece.

– Monja Coen

Ano 15 • nº 58

Outubro/novembro/dezembro de 2016 – Ano Buda 2582

Zazen Zanmai – Zazen Samadhi

Zazen significa *sentar-se em meditação*. Geralmente, na tradição Soto Shu, evitamos chamar *zazen* de meditação, plena atenção ou *mindfulness*. Preferimos usar a palavra *zazen*.

Zazen transcende dualidades, transcende complementos, separação entre a prática e a realização. "Prática é iluminação" talvez seja o principal ensinamento de nosso fundador no Japão, mestre Eihei Dogen Daioshô Zenji (1200–1253).

Zen é palavra originária da Índia antiga. Vem de *dhyana* ou *jhana*, para a qual os chineses, pelo som, escolheram um ideograma lido como *ch'an* e que os japoneses leem como *zen*.

Sentar-se em *dhyana*.

Sentar-se em meditação.

Zazen.

A verdadeira prática de *zazen* é a manifestação do *zanmai* ou *samadhi*. *Samadhi* também é uma palavra da Índia, encontrada nos escritos de Patanjali, organizador da ioga. Para expressá-la em japonês, criaram-se ideogramas cuja leitura é *zanmai*.

Esse é o oitavo aspecto a ser alcançado por uma pessoa que pratica ioga. É a grande identificação com tudo e todos. Estado de não separação entre o *eu* individual e o grande *Eu*: tudo, todas as experiências do passado mais remoto e as deste instante se manifestam no agora. Todos os seres, todas as formas de vida, da menor partícula às maiores esferas, fazem parte. Inclusão total e presença absoluta. Estar absolutamente presente no momento e no local em que nos encontramos e reconhecer que somos a vida da Terra e de todos os seres.

Nas salas de *zazen* dos mosteiros *zen*, no Japão, há uma placa de madeira entalhada com os dizeres: *Zanmai Ô Zanmai* (Samadhi Rei Samadhi).

Temos também em nosso pequeno *zendo* essa placa de madeira, entalhada pelo professor Suzuki, pai da antiga praticante Flávia Shoen Suzuki, um mestre em caligrafia e uma inspiração para quem pratica.

Zanmai Ô Zanmai significa que a sala de *zazen* – chamada de *zendo* (salão *zen*) ou de *sodo* (salão dos e das praticantes) – é o local onde o *samadhi* dos *samadhis* se manifesta.

Há vários níveis de *samadhi*. Podemos nos identificar com um som, uma forma, um pensamento, um ensinamento. Mas o *samadhi* dos *samadhis* se dá quando todos os caminhos se unem, como as correntes tributárias que chegam ao grande rio, e de lá desaguam nos mares e oceanos. Penetrar as profundezas da mente, reconhecer as sutilezas das sensações, encontrar a fonte luminosa e pura que jorra incessantemente a sabedoria perfeita.

Para acessarmos a fonte, atravessamos o doce orvalho que de lá emana e nos purificamos, deixando apegos e aversões para nos tornarmos uma gota pura da fonte, sendo a própria origem, meio e fim. É um estado de equilíbrio e tranquilidade, sem mágicas e sem oscilações mentais, cujo portal principal é o *zazen* da Mahayana (Grande Veículo).

Convido você a penetrar o *zazen zanmai* e a sentir os cílios de Buda bem próximos de suas pupilas.

Pessoas com experiência em *zazen* podem participar do Sesshin de 1º a 8 de dezembro, quando celebramos a iluminação do Buda histórico nos sentando em *zazen zanmai* e despertando a mente suprema.

Bem-vindo e bem-vinda à Família (Casa) Buda.

Mãos em prece.

– Monja Coen

Ano 16 • nº 59

Janeiro/fevereiro/março de 2017
– Feliz Ano Buda 2583!

Ano Buda 2583

Abriu-se uma pequenina pétala suave, fina, clara, delicada – é o Ano-Novo.

Não é mais o ano passado, nem é o ano futuro. É o ano presente, que nos é dado de presente: 365 dias para apreciarmos a vida. São quantas horas, quantos minutos, quantos segundos? Milhares, milhões.

Como átomos, prótons, elétrons, partículas, ondas.

Tudo seu, tudo você e somos nós.

Você está apreciando este momento da sua existência? Jamais se repetirá. Não há bis. Apenas a improvisação consciente de cada instante.

A existência – de cada um, de cada uma de nós – é a existência de toda a vida.

Ouça os pássaros e o som dos carros, motos, caminhões, helicópteros e aviões.

A capacidade de ouvir é sagrada. Aprecie.

Veja os inúmeros tons de verde dos bambus, das folhas, dos ciprestes, de todas as plantas e árvores que nos cercam, nos acolhem, nos protegem, nos respiram.

E os azuis do céu, de cinza a azul-escuro. Algumas vezes pintado de estrelas brilhantes, outras dourado pelo sol. As gotas de chuva e os arcos-íris.

Então observe os insetos, os pássaros, os mamíferos – de humanos a ratos. Todos sagrados. Cada um manifesta o todo e o todo se manifesta em cada criatura.

Você aprecia sua vida?

Veja, sinta, perceba, escute seus estados mentais.

Zazen é o portal principal. Penetre, adentre, reconheça sua casa, conheça todos os aposentos, redescubra, reconstrua, desconstrua. Renove.

Faça o que tem de ser feito da melhor maneira.

Ação de transformação.

Reclama? Inflama no fogo da purificação. Nada permanece o mesmo e, no entanto, não é outro.

Clamar de novo. O clamor do *Darma* – este sim sempre satisfaz. Nada falta. Nada excede.

Assim como é. *Nyoze, nyoze.*

Havia uma árvore que virou barco que se tornou mesa, banco e depois foi queimada para aquecer, cozinhar, alimentar, dar vida. Vida sempre produz vida. Cinzas não voltam a ser brasa, mas retornam à santa terra imaculada e se misturam com restos de gente, de porcos, de peixes, de árvores, de agentes químicos, de ferro, de plástico. Misturando-se e virando pó, terra que fertiliza a planta que alimenta a vida que retorna à terra para alimentar a vida.

Não há nascimento, não há morte.

Esse é o ensinamento supremo da Mahayana.

Você percebe?

O Ano-Novo se revela na pétala pequenina, suave, fina, clara e delicada desabrochando: perfume de jasmim.

A fragrância só pode ser sentida pela pessoa desperta, atenta, presente. Não se ausente.

Sua vida neste instante é perfeita e completa. Viva.

Na morte, apenas morra e vá sem nunca ir a lugar algum. Sem nascer, sem morrer. Como pode ser?

Interser.

Acorde, desperte. A música dos sinos reverbera as 108 badaladas do despertar, do ir além, do superar obstáculos e os transformar em portais de libertação.

Ano-Novo, todas as possibilidades em aberto.

Faça seu compromisso com Buda – dentro e fora, em todas as direções e em todos os tempos. Comprometa-se com o *Darma*, a Lei Verdadeira, e renove seu compromisso com a *Sanga* de Buda – toda a vida da Terra, todos os seres.

Acorde, desperte, respire conscientemente e ofereça os méritos a todos os seres.

Este será um Feliz Ano-Novo se houver o seu completo e perfeito despertar.

Venha se juntar a quem se entrega e confia nos Três Tesouros. A quem aceita a realidade como ela é, sendo a realidade e confiando na transformação incessante da qual você participa ativamente por meio de seus gestos, palavras e pensamentos. Pense Buda.

Seja um ser iluminado e faça jorrar a sabedoria perfeita sobre toda a Terra.

Mãos em prece.

– Monja Coen

Ano 16 • nº 60

Abril/maio/junho de 2017
– Ano Buda 2583

Perdas e encontros

Perdi.

Perdi o caminho imaginário de uma identidade especial. Encontrei o caminho real de uma identidade comum.

Buda nasceu no que seria hoje dia 8 de abril.

Cresceu como um menino esperto, inteligente, com boa coordenação motora, brincalhão, bom jogador, bom cavaleiro, bom arqueiro e que apreciava meditar. Gostava de ficar em silêncio, de observar em profundidade, de refletir e de esvaziar-se no todo, tornando-se o todo.

Celebramos, todos os anos, o nascimento, as decisões e os ensinamentos daquele que é chamado O Mais Honrado do Mundo, que entrou em *Parinirvana* (o grande *Nirvana* final) aos oitenta anos de idade e cujos ensinamentos chegam até nós 2.600 anos depois.

Seres raros estão presentes nas várias tradições espirituais. Sempre vivos, manifestam-se em cada criatura que segue o Caminho Iluminado.

O Caminho pode ser dividido em oito aspectos: compreensão ou memória correta, pensamento correto, fala correta, ação correta, meio de vida correto, esforço correto, atenção correta e concentração ou meditação correta.

O fio que liga os oito aspectos é a prática incessante da visão clara, lúcida, sábia, que liberta todos os seres vivos.

Em maio, celebramos no Brasil o Dia das Mães.

Prajna Paramita – a sabedoria completa, perfeita – é a mãe de todos os budas. Cada pessoa que desenvolve o discernimento correto é um filho ou uma filha de *Prajna Paramita*. Filhos e filhas de Prajna são budas e bodisatvas.

Prajna é um dos seis *paramitas*. *Paramita* significa *completude*, *o que nos faz atravessar* e *chegar*; é o mesmo que *perfeição*.

Existe a perfeição da sabedoria (*Prajna Paramita*) e as outras cinco perfeições: generosidade ou doação, preceitos ou vida ética, paciência ou tolerância, esforço ou perseverança, meditação ou *zen*.

Cada um deles interage com os outros cinco e nos permite atravessar o oceano de nascimento, velhice, doença e morte com a tranquilidade de um sábio.

O frio é frio, mas podemos apreciar o frio e nos aquecer. Podemos auxiliar quem não tem como se aquecer oferecendo comida, cobertores, roupas.

Podemos também oferecer a quem não conhece a si mesmo os ensinamentos sagrados de Buda e levá-los à libertação, usando a armadura do *samadhi*, essa armadura que não permite que a sabedoria se perca.

Não há mais tempo para reclamar e lastimar.

Não invoque mais a tristeza e o sofrimento.

Abra os portais da compreensão clara, da decisão assertiva e aprecie sua vida.

Perder-se no todo é encontrar seu *eu* maior, seu *eu* verdadeiro. O grande encontro está esperando você.

Não se atrase. Não desista. Caminhe, pois estar limitado ao *eu* menor é o grande desencontro da vida.

Pratique *zazen*, penetre o *Darma*, aprecie a *Sanga* e se torne um Buda, uma Buda ancestral, um ser que abre os portais da Sabedoria Completa (*Prajna Paramita*) para todos os seres. Sem preferências e sem aversões, o Caminho é livre. Aprecie.

Mãos em prece.

– *Monja Coen*

Completo setenta anos de vida e 35 de monasticismo

Metade da vida, laica.

Metade da vida, monástica.

E só tenho agradecimentos.

Aos budas e bodisatvas, monges e monjas, leigos e leigas que me antecederam, que partilham o *Darma* de Buda comigo e que a mim sobreviverão – a sagrada *Sanga*.

Buda, *Darma* e *Sanga* – as Três Joias, os Três Tesouros inseparáveis. Em fé profunda me refugio, confio e me entrego a cada dia.

Nesses 35 anos de vida monástica, tive o privilégio de praticar sob a orientação de grandes mestres e mestras. Koun Taizan Hakuyu Daioshô (Maezumi Roshi) e membros da White Plum ASanga: Joko Roshi, Genpo Roshi e todos os meus contemporâneos no Zen Center of Los Angeles.

Durante oito anos tive a honra de praticar no Mosteiro Feminino de Nagoya, sob a orientação da superiora Aoyama Shundo Docho Roshi e toda a equipe de professoras e professores do *Darma*. Fui a primeira *shusso* (chefe das monjas em treinamento) desse mosteiro, abrindo essa possibilidade para muitas outras monjas.

Meu mestre de transmissão, Yogo Suigan Roshi, vinha ao mosteiro para os retiros principais e me acolheu como sua discípula e herdeira do *Darma*. O mestre Kuroda Junnyu Roshi, do templo Kirigayaji, em Tóquio, sempre me deu e continua dando ensinamentos e apoio. Em Hokkaido, pude praticar com o reverendo Sato, abade de Daishoji, junto ao meu então marido e companheiro do *Darma*, Shozan Murayama Sensei.

Agradeço aos muitos monges e monjas, suas esposas, filhos, companheiras e companheiros, *Sangas* e amigos que me inspiraram e orientaram durante esses 35 anos. A cada um, a cada uma, minha gratidão profunda.

Nos 35 anos de vida laica, tive a bênção de fazer parte de uma família de educadores que me ensinou a inclusão e o respeito a todas as formas de vida.

Fui esposa, mãe, avó e agora sou bisavó.

Só gratidão.

Fui filha, irmã, neta, sobrinha, prima.

Fui casada, divorciada e "recasada".

Fui jornalista, iluminadora de shows de rock 'n' roll, professora de inglês, secretária do Banco do Brasil em Los Angeles e monja zen-budista.

Bênção das bênçãos.

Iniciei minha prática zen-budista no Zen Center of Los Angeles, dando continuidade no Aichi Senmon Nisodo (Mosteiro Feminino de Nagoya). Fiquei oito meses no mosteiro de Hosshinji, em Obama, apreciando a mendicância no outono e no inverno – congelando os dedos e me arrepiando nos retiros mais fortes e profundos que já pratiquei. Recebi a transmissão do *Darma* no mosteiro Saijoji, em Odawara, onde passei alguns meses, e trabalhei no templo Daishoji, em Sapporo, recebendo instruções e oficiando velórios, enterros, cerimônias memoriais, palestras e *zazen* para crianças, além da cerimônia do chá.

Voltei ao Brasil formada professora de monges e monjas, leigos e leigas. Tokubetsu Niso – monja especial.

Fiquei seis anos no templo Busshinji, no bairro da Liberdade, servindo, limpando, oficiando cerimônias, praticando o Caminho dos budas ancestrais no *zazen* e nas liturgias tradicionais da Soto Shu.

Fiz inúmeras cerimônias memoriais, enterros, casamentos, ordenações leigas e monásticas, bênçãos de casas, escritórios, Ano-Novo. Presidi a Federação das Seitas Budistas do Brasil por um ano.

O templo floresceu e os ensinamentos de Buda se tornaram acessíveis a muitas pessoas.

Foram seis anos de trabalho incessante. Acordar antes das cinco da manhã, *zazen*, cerimônia litúrgica da manhã, *samu*, *samu*, *samu*, retiros zen, tanto no templo como em fazendas e sítios fora de São Paulo; aumento do número de praticantes e de adeptos do zen. Atendendo a todas as pessoas que me procuravam, dando aulas, traduzindo textos, mantendo as liturgias tradicionais, refazendo e completando os altares do templo Busshinji, completando as obras do templo, a sala dos *ihais* (tabletes memoriais) e do *nokotsudo* (sala para guardar cinzas/restos mortais). Ajudei a elaborar um novo estatuto, troquei lâmpadas, passeei com cães, ensinei *zazen* para crianças, convoquei professores de *baika* do Japão para vir ensinar às senhoras japonesas que tocavam no templo. Traduzi os mangás de Xaquiamuni Buda, mestre Dogen e mestre Keizan, feitos no Japão pela Shumucho, produzi pequenas cópias de bronze de imagens de Kannon Bodisatva e de Jizo Bosatsu para vender na lojinha do templo.

Ordenações laicas, cursos de zen-budismo, *zazenkais*, seminários para monges e monjas, leigos e leigas, seminários inter-religiosos, participação em encontros inter-religiosos, formação de um grupo para limpar o bairro da Liberdade, procissão do nascimento de Buda, confecção do elefante branco que até hoje leva o pequeno Buda nas procissões.

Durante esse período, conseguimos fazer o primeiro encontro de monges e monjas budistas, todo em português, bem como um encontro inter-religioso no templo Busshinji.

Abrimos o templo para o mestre Jorge Kishikawa, do Instituto Nitem, e para mestres de caratê, de *aikido* e de *ninjutsu*. Aulas de *ikebana*, caligrafia, música clássica japonesa, coral japonês dos grupos budistas – os participantes se reuniam no templo para os ensaios.

Houve, pela primeira vez, inclusão das mulheres nas eleições das diretorias do templo, bem como a inclusão dos membros de *zazen* para votar e serem votados. Até então, as mulheres participavam apenas do grupo feminino, responsável por comidas e bazares, e só a presidente desse grupo participava das reuniões, mas sem poder decisivo.

Dei inúmeras entrevistas sobre o zen-budismo para jornais, televisões, rádios e para alunos de faculdades e escolas. Dei aulas de zen-budismo em várias universidades de São Paulo, Rio de Janeiro, Brasília, Pernambuco, Paraíba e Piauí.

Até que, em 2001, fundei a Comunidade Zen Budista Zendo Brasil. Nossa primeira sede foi na Rua Arruda Alvim, perto do Hospital das Clínicas. *Zazen*, liturgias, ordenações, palestras, caminhadas zen nos parques das cidades. Tornei-me membro da Iniciativa das Religiões Unidas, firmando o compromisso de criar uma cultura de paz. Participei da revisão da tradução dos livros de Aoyama Shundo Docho Roshi, minha superiora em Nagoya. Recebi a imagem de Kannon Bodisatva vinda do templo Kirigayaji, em Tóquio.

O espaço de prática foi ficando pequeno, e nos mudamos para o bairro do Pacaembu, onde estamos até hoje. Cerca de 320 pessoas receberam os preceitos laicos e trinta pessoas receberam os preceitos monásticos. Muito pouco comparado à população do Brasil, mas ainda assim uma pequenina semente do *Darma* de Buda. Centros de prática foram abertos e são mantidos em Campina Grande-PB, em Brasília, no Rio de Janeiro e, o maior de todos, no Rio Grande do Sul. Lá, a pedido do antigo superior para a América Latina, dei continuidade aos ensinamentos e à prática, ordenando monásticos e apoiando a construção do Buda de nove metros de altura e do zendo para noventa pessoas – obra da discípula monja Waho com monge Dengaku, monja Shoden, monge Joji, Denshin, autor do grande Buda, e de todos os praticantes do Rio Grande do Sul, Uruguai, Suíça e de todo o Brasil.

Hoje, três de meus discípulos são professores reconhecidos pela ordem: Dengaku Sensei, Zentchu Sensei e Waho Sensei.

Os dois primeiros monges que ordenei, Enjo Sensei e monja Isshin, foram transmitidos por outros professores do Japão, para onde os enviei a praticar, após sua ordenação monástica comigo. Enjo Sensei construiu e administra um templo belíssimo em Pedra Bela-SP; a monja Isshin, por sua vez, lidera um grupo em Porto Alegre-RS.

Assim, revendo esses 35 anos de prática incessante, vejo que muito foi feito na divulgação e na expansão dos ensinamentos de Buda e da verdadeira prática de *zazen*.

Ainda há muito a ser feito. O zen no Brasil está apenas iniciando sua trajetória, embora tenha surgido há mais de cinquenta anos, com a vinda dos imigrantes japoneses e a instalação dos templos-sede após a Segunda Guerra Mundial.

Neste zen tupiniquim, comemos mandioca, arroz, feijão, falamos português, traduzimos sutras e ensinamentos e nos alegramos em recuperar o sentido verdadeiro dos ensinamentos de mestre Eihei Dogen Daioshô Zenji e de mestre Keizan Jokin Daioshô Zenji, sem nos esquecermos do exemplo da primeira monja histórica, Mahaprajapati Daioshô, e de toda a linhagem de monjas que nos permitem continuar a prática e apreciar a vida.

Trinta e cinco anos de vida monástica são apenas o começo de uma carreira religiosa. Agora, aos setenta anos de idade, um pouco mais amadurecida pelo sol e pela chuva, pelo gelo e pelas estiagens, me vejo de dedos curvos e costas eretas, renovando meu compromisso de levar adiante os ensinamentos de Buda e facilitar para que todos os seres despertem e o Caminho se manifeste, beneficiando a todos os seres.

Tenho escrito artigos para jornais e revistas e livros educacionais laicos e de outras linhas religiosas e espirituais.

Espero que meus discípulos e discípulas, aqueles e aquelas cujas sementes Buda desabrocharam e continuam a desabrochar, possam se desenvolver e levar adiante a luz da transmissão correta.

Lembro-me sempre de um ensinamento de minha mestra de treinamento, Aoyama Shundo Docho Roshi, abadessa do Mosteiro Feminino de Nagoya:

> "Levam-se dez anos para formar uma monja, vinte anos para formar uma professora do *Darma* e trinta para formar uma mestra."

Não há atalhos.

Há prática incessante.

Que todos os budas e bodisatvas mahasatvas estejam conosco e que possamos acessar a Sabedoria Perfeita, *Anokutara Sammyaku Sambodai*.

Mãos em prece.

– Monja Coen

Ano 16 • nº 61

Julho/agosto/setembro de 2017
– Ano Buda 2583

Paramita Haramita Tohigan Higan-e

Paramita, Haramita, Tohigan ou Higan-e significa *atingir*, *completar*, *atravessar e chegar à outra margem*, *alcançar a perfeição*, *obter a realização perfeita*, *adentrar o nível da iluminação*.

Como atravessamos? O que é atravessar?

Quem é o atravessador, quem é a atravessadora?

Há uma intermediação?

Aquele que atravessa, que passa, que transporta, é a própria pessoa.

De que rio, mar, montanha estamos falando?

Qual é a margem a ser conquistada, descoberta, encontrada, atravessada?

Há outro estado de consciência além do que nos atormenta e nos alegra, que nos julga, condena, absolve?

Qual a margem que deixamos, que abandonamos, da qual partimos? Qual estado devemos deixar?

Há retorno ou é uma viagem só de ida?

Gate, gate, para gate, parasamgate.[8] Em português, significa algo como "Indo, indo, tendo ido, tendo chegado e continuo indo".

Tendo uma vez completado a travessia, só nos resta ir novamente para a margem oposta a fim de conduzir, contar, explicar, divulgar que há outra margem, que é possível viver em harmonia e respeito, colaborando e cooperando com a natureza e com todos os seres.

Perceba, não é voltar para a margem da partida. É ir para. Não há volta. A vida é um contínuo ir. Nessa ida podemos acessar o estado natural da consciência. Ir para esse estado – e não voltar para. Só podemos ir, ir, ir... Como o planeta Terra girando em torno de si mesmo e em torno do sol. Não pode voltar, não há volta. Há apenas o incessante ir, tornar-se, vir a ser.

Sair de estados alterados de consciência é abandonar o falso, partir da margem da confusão, do sofrimento desnecessário, das dúvidas, do egocentrismo, da dualidade, da delusão, da separação, da angústia, do medo, da raiva, do ciúme, da inveja, da preguiça, da vaidade, da depressão. Usar todos esses elementos, sentimentos, vícios, ignorância e falta de conhecimento da verdade como alavanca de transformação.

A cada instante da vida temos a oportunidade de fazer essa travessia, de abandonar a ignorância, o desconhecimento, as guerras, as prisões, a covardia e alcançar a coragem, a paz e a libertação. Curar o coração partido (*cor rupto*, em latim). Selar a ruptura por meios hábeis.

Basta um passo consciente, uma respiração consciente, e a decisão se torna firme. Podemos mudar, transformar, atravessar, partir e alcançar.

Buda nomeava seis perfeições, ou seis *paramitas*, seis formas de obter a realização perfeita, seis práticas para acessar a margem da completude:

1. ***Dana paramita*:** Doação, generosidade, oferta, caridade, amor, compaixão, entrega;

---

8. Parte final do *Sutra do Coração da Sabedoria Completa* em sânscrito.

2. ***Shila paramita*:** Preceitos, treinamento ético, respeito à vida em sua pluralidade, disciplina;
3. ***Kshanti paramita*:** Paciência, resiliência, capacidade de acolher, compreender e transformar sofrimentos;
4. ***Virya paramita*:** Esforço correto, perseverança;
5. ***Dhyana paramita*:** *Zazen*, meditação;
6. ***Prajna paramita*:** Sabedoria, compreensão clara.

Em setembro celebramos o equinócio de primavera. A celebração chama-se, em japonês, *O-Higan-e*. É o momento que facilita a travessia, quando há equidade entre o dia e a noite, equidade entre a luz e a sombra. A mente de equidade é a mente Buda, que não valoriza mais o dia do que a noite, que está além das preferências, dos apegos e das aversões.

Que possamos nesses três meses nos concentrar nas práticas dos seis *paramitas* e, juntos, atravessar o mar do sofrimento, nascimento, velhice, doença e morte para atingir a suave e tranquila praia de *Nirvana*.

Convido você a iniciar essa jornada, consciente de que cada ser que desperta, que atravessa, leva consigo toda a humanidade.

Participe do Zazen para Iniciantes, do *Zazenkai*, faça os cursos regulares, participe das liturgias especiais e descubra que a outra margem é essa, que *samsara* (delusões, apegos e aversões) é o próprio *Nirvana* (sabedoria, libertação, iluminação).

Como afirmou nosso mestre fundador, Dogen Zenji: "Prática é iluminação"; e confirmou nosso outro mestre fundador, Keizan Zenji: "A mente sempre em paz é o Caminho".

Pratiquemos, pois.

Mãos em prece.

– *Monja Coen*

Ano 16 • nº 62

Outubro/novembro/dezembro de 2017
– Ano Buda 2583

Fim de ano

Quarto trimestre de 2583 (2017). Já nos preparamos para fechar as contas, iniciar as compras, rever atividades, programar o novo ano que se aproxima.

Algumas pessoas recebem 13º salário, outras entram em férias. Um grande número de pessoas no planeta não recebe 13º e desconhece o que sejam férias. Assim vivemos. Assim morremos. Sem nos dar conta das necessidades verdadeiras do planeta, sem nos dar conta das nossas necessidades verdadeiras nem das pessoas próximas a nós.

Nas longas viagens de carro que muitas vezes faço para ir oficiar um casamento em uma cidade distante ou para dar uma palestra, converso com os motoristas. Encontrei recentemente um jovem de cabeça raspada e longa barba negra que sorria para a vida. Uma pessoa alegre e feliz, mas sem perder a capacidade crítica sobre a realidade. Contou-me sobre as cirurgias que precisou fazer e completou: "Parece que só na iminência da morte começamos a apreciar a vida".

Outro motorista também me dissera isso. Quantas viagens, quantos passageiros e passageiras passam pelos bancos de seus carros, com as mais diversas histórias e maneiras de ser. Desde pessoas "metidas", de nariz em pé, que reclamam e não conversam com os motoristas, até gente simples, que confessa suas dores e dificuldades.

A tarefa de um motorista é conduzir. Ao conduzir um carro, conduz seres humanos, conduz pessoas com alegrias e tristezas, e pode conduzir seus pensamentos para a sabedoria ou para a ignorância.

Somos todos condutores nesta vida, como fios elétricos que podem entrar em curto-circuito se não estiverem devidamente encapados e levar a um longo processo de queimaduras, incêndios, choques e até à morte.

Como você está conduzindo sua vida? Esses últimos três meses do ano podem ser uma oportunidade para que você reveja o que foi positivo e quer dar continuidade; o que foi mediano e deve reavaliar; e o que não deu certo, para fazer dar certo.

Nunca desistir. Sempre há uma possibilidade de mudar a relação de afeto e desafeto, de ganho e perda, para a mente iluminada que nada ganha e nada perde. Vamos tentar?

Certa feita, Buda comparou os seres humanos a quatro tipos de cavalo: o primeiro, ao ver a sombra do chicote, galopa faceiro; o segundo, ao levar uma chicotada leve, sai galopando; o terceiro precisa levar uma chicotada forte, daquelas que até cortam a carne, para galopar; e o quarto só galopa quando a chicotada lhe chega aos ossos.

Isso se refere à minha conversa com os motoristas, à minha experiência com muitas pessoas. Algumas, ao saber que alguém desconhecido, num país distante, está sendo ferido, morto, discriminado, abusado, torturado, vítima das façanhas humanas ou dos movimentos naturais da Terra, percebe a impermanência e galopa – ou seja, passa a viver apreciando a vida, saindo das queixas e miudezas. Outras só percebem como a vida é breve e que mais vale viver com alegria e partilha quando sabem da morte de alguém que conhecem a distância, mas não pessoalmente. Há ainda aquelas que só passam a apreciar a vida quando uma pessoa próxima está à beira da morte. E o último grupo é o de pessoas que só despertam para o espanto e maravilhamento de cada instante de vida quando se dão conta de que sua própria vida pode terminar muito em breve.

Identifique em qual desses grupos você se encaixa e aprecie sua vida. Cuide mais, seja mais gentil, construa relacionamentos de ternura e compreensão. Perceba a transitoriedade de cada instante, faça o seu melhor, planeje, trabalhe, pratique os ensinamentos. Faça de sua vida uma grande aventura em direção à sabedoria perfeita e à compaixão ilimitada.

O tempo urge. Comece agora. Não deixe para o Ano-Novo, não deixe para daqui a uma hora. O momento chegou. Pratique *zazen*. Siga os ensinamentos e os conselhos de pessoas sábias. Deixe seu *eu* reclamão, briguento e exigente descansar. Sorria – nada de caras feias, fechadas. Estimule suas sinapses neurais e se levante, saia. Observe em profundidade a vida na sua diversidade.

Você é a vida. Desperte. Aprecie. A tristeza, a depressão, o medo, a dualidade – sinta e deixe passar. Nada é permanente neste mundo.

Construa um novo pensamento e vamos juntos selar este ano com nosso compromisso de bem viver o bem.

Mãos em prece.

– Monja Coen

Shusso – líder dos praticantes em treinamento, líder dos sentados em *zazen*

Nos locais de treinamento zen, é hábito apontar um praticante para um período de três a seis meses como *shusso* – líder dos praticantes em treinamento, o *cabeça dos sentados* (tradução literal da palavra). Essa pessoa é escolhida pelo mestre ou mestra da comunidade (abade ou abadessa, quando monásticos) por sua prática e compreensão do *Darma*. Passa a ser o braço direito do abade ou abadessa. Reúne-se com este(a) regularmente – diariamente, no caso dos mosteiros – para definir a programação do treinamento, considerar como está o desenvolvimento dos praticantes de *zazen* e receber ensinamentos.

Em uma data especificada pelo abade ou abadessa, todos os praticantes são convidados a vir testar a compreensão dos ensinamentos dessa pessoa. Essa cerimônia é chamada de Combate do *Darma* (*Shusso Hossen Shiki*). Uma vez aprovado pela comunidade por sua agilidade em responder com precisão e sabedoria, passa a ser preparado para a transmissão do *Darma*, que pode ocorrer nos anos seguintes. Todos esses termos e cerimônias vieram da tradição monástica e se limitavam a monges e monjas.

Um monge passa por um período de noviciado, que pode chegar a dez anos. Nesse intervalo, deve tornar-se *shusso* e passar pelo Combate do *Darma*. Depois, pode ter de esperar outros dez anos para receber a transmissão. Caso ultrapasse esse tempo, terá de recomeçar o noviciado.

No Brasil, não há mosteiros de treinamento oficializados pela nossa sede, no Japão. Muitos desejam fazer o voto monástico, mas as comunidades zen-budistas não têm condições financeiras de mantê-los. Por isso, decidi que leigos praticantes dedicados e capazes de despertar para a mente de suprema compaixão podem ter a posição de *shusso* e, mais tarde, receber a transmissão do *Darma*.

O primeiro a passar por esse processo foi Muni (Edmundo Aguirre), do Via Zen-RS. O segundo foi Eishin (José Fonseca), também do Via Zen-RS. O terceiro foi Sofu (Roberto Mello), do Taikozan Tenzuizenji-SP. Assim, foi aberto o portal para o reconhecimento de praticantes professores do *Darma* de Buda, reconhecidos como tal mesmo sem terem feito o voto monástico.

O voto monástico deve incluir total e completa dedicação ao *Darma*, desligamento da família – pelo menos durante os anos de noviciado e treinamento intensivo – e abandono das atividades profissionais até então exercidas.

Notei, ao longo de todos esses anos, que a maioria das pessoas que fez os votos monásticos não pôde se desligar nem de seus laços familiares nem de suas profissões, principalmente pela impossibilidade de serem mantidos pela *Sanga* (comunidade de praticantes). Assim, muitos dos monges e monjas por mim ordenados continuaram nas suas profissões e ligados à família, embora sejam grandes praticantes e muito dedicados ao *Darma* de Buda.

Também notei que alguns se afastaram da prática após o voto monástico, percebendo sua incapacidade de manter a assiduidade e a profundidade em seus estudos do *Darma*.

Por essas razões, não estou mais ordenando monges e monjas, mas facilitando que leigos e leigas se aprofundem no *Darma* e se tornem professores da nossa linhagem.

Direitos e deveres de uma pessoa leiga que recebeu a transmissão do *Darma*

Pela primeira vez fiz a transmissão do *Darma* a um praticante leigo: Dozen Muni (Edmundo Arregui Dantas), do Via Zen, Porto Alegre.

Fui inspirada pelas práticas do budismo tibetano do Rio Grande do Sul, cujo templo e centro de práticas de Três Coroas foi fundado por Chagdud Rinpoche, um mestre leigo. Outro mestre importante no Brasil é o lama Padma Samten, também leigo, fundador do Centro de

Estudos Budistas Bodisatva, com centenas de discípulos e discípulas espalhados por todo o país.

Nossa ordem, a Soto Shu do Japão, geralmente só reconhece monásticos como professores de ensinamentos do *Darma* (*senseis*), embora também haja alguns professores leigos.

Nos Estados Unidos, no Zen Center of Los Angeles, onde tive minha formação inicial, nosso professor, Maezumi Roshi, sempre dizia que não diferenciava, na prática, leigos e monásticos. Para ele, o que importava era quem havia aberto o olho da iluminação, independentemente de seu voto ser monástico ou não.

Assim, haja vista que Dozen Muni Sensei praticava com assiduidade e mantinha seus estudos e compromissos de forma adequada, decidi dar a ele a transmissão do *Darma*. A transmissão só ocorre quando mestra e discípulo se tornam um. Isso significa que o discípulo compreendeu os ensinamentos de Buda em profundidade e está apto a transmiti-los também.

Como Muni Sensei é leigo – uma grande novidade em uma *Sanga* (comunidade) em que apenas monásticos se tornavam professores –, achei por bem esclarecer qual a sua posição, direitos e deveres:

- Um professor do *Darma* deve ser respeitado por leigos e monásticos como um discípulo direto de Buda, com capacidade de ensinar e orientar praticantes;
- Na sala de meditação há quatro assentos principais: o do abade ou abadessa, à direita da entrada principal; à frente deste, o lugar do professor de ensinamentos do *Darma*; do outro lado da entrada, à esquerda da porta principal, o assento do professor mais antigo; e, bem à frente deste, o do professor responsável pelo treinamento diário. Há mais um, o do *shusso*, à direita do abade ou abadessa. Apenas essas cinco pessoas podem e devem se sentar voltadas para o centro da sala. No Via Zen, o assento

do professor leigo Muni Sensei deve ser aquele bem em frente ao do abade ou abadessa;

- Durante as liturgias, deve ocupar um local de honra, no *ryoban*, podendo estar à frente de alguns noviços e noviças que ainda não receberam a transmissão nem fizeram o Combate do *Darma*;
- É seu dever ser um exemplo para toda a comunidade, estando sempre atento e disponível para orientar novos praticantes, bem como praticantes mais antigos, a fim de que possam compreender os ensinamentos em profundidade;
- Pode e deve preparar praticantes para receber os preceitos budistas e recomendar aos monges e monjas autorizados a transmitir os preceitos laicos que o façam. Em caso de impossibilidade de um monge ou monja autenticamente transmitido oficiar celebrações memoriais, enterros, casamentos, bênçãos e transmissão de preceitos, o praticante leigo pode assumir essa função – se não houver um monástico ou monástica que o possa fazer num raio de quinhentos quilômetros (assim ensinam os textos antigos). Para tanto, ele tem o dever de estudar e praticar as várias posições litúrgicas e cerimoniais;
- O compromisso de um praticante transmitido (laico ou monástico) é dedicar-se aos estudos e práticas do *Darma* de Buda, conforme as orientações da Soto Shu, para melhor ensinar e orientar outros praticantes (laicos ou monásticos);
- A função de um professor do *Darma* é preparar-se para melhor servir à sua comunidade e estar sempre disponível para aconselhar respeitosamente a todos que necessitem de conselhos e orientações;
- As entrevistas de aconselhamento individual, quando realizadas por um ou uma *roshi* (mestre cujo discípulo ou discípula rece-

beu a transmissão do *Darma*), são chamadas de *dokusan*. Quando quem desempenha essa função é professor (*sensei*), monástico ou laico, usa-se o termo *daissan* para essas mesmas entrevistas;

- Nenhum professor do *Darma* que não tenha o título de *roshi* pode realizar *teisho*. Esse termo é usado apenas quando um ou uma *roshi* pronuncia ensinamentos. Quando professores (*senseis*), monásticos ou laicos, o fazem, o termo *Palestra do Darma* é o mais adequado. Nas aulas de estudos coletivos dirigidos pelo leigo José Eishin Fonseca, este ocupa a posição de professor, tendo sempre ao seu lado o professor leigo transmitido Muni Sensei;
- O leigo que fez a cerimônia de Combate do *Darma*, tendo sido aprovado como *shusso* – líder dos praticantes em treinamento –, também deve ter uma posição diferenciada na sala de *zazen*, sentando-se de frente para o centro, geralmente ao lado direito do abade ou abadessa, até que outro *shusso* seja apontado para o cargo, quando o primeiro, então, passa a ocupar um dos assentos comuns. Caso seja monitor, deve sentar-se no local próprio para monitorar a sala;
- Nas rodas de conversa, bem como nas mesas de refeições, deve ocupar um lugar de honra. É preciso lembrar que, mesmo não tendo feito o voto monástico, o professor do *Darma* é uma pessoa reconhecida por sua compreensão dos ensinamentos e assim deve ser respeitada e consultada.

Essas são as recomendações que considero necessárias nesse momento. Todos e todas as praticantes devem sempre cumprimentar respeitosamente o *sensei*, unindo as mãos palma com palma e baixando a cabeça. Um professor leigo não deve receber prostrações completas – nas quais a pessoa que cumprimenta encosta a cabeça no chão. As prostrações completas só devem ser feitas para monásticos e monásticas. E estes só as fazem para outros monásticos e monásticas, para budas e bodisatvas. Para ninguém mais.

Mãos em prece.

– *Monja Coen Roshi*
Presidente do Conselho Religioso

Transmissões do *Darma* pela Monja Coen Roshi

Zentchu Sensei (SP) – monástica, treinamento no Japão (2013).
Dengaku Sensei (RS) – monástico, residente no Via Zen (2014).
Waho Sensei (SP) – monástica, Sala Therigatha (2016).
Kokai Sensei (RS) – monástica, Zen Vale dos Sinos (2017).
Ryozan Sensei (SP) – monástico, capelania de hospitais (2017).
Muni Sensei (RS) – leigo, praticante Via Zen (Set. 2017).

Ano 17 • nº 63

Janeiro/fevereiro/março de 2018
– Feliz Ano Buda 2584!

Akemashite – Omedeto Gozaimasu
Clareou – Congratulações

A expressão japonesa para as congratulações de Ano-Novo inicia com a palavra *akemashite*. Sol e lua, lado a lado, é o caractere (*kanji*) para o verbo *akeru* – de onde vem *akemashite*: amanhecer, clarear. Clareou – congratulações. Assim damos as boas-vindas ao Ano-Novo.

Omedeto é outro termo interessante, que significa *o olho que se abre, se arregala, que salta para fora*. É usado para indicar congratulações, felicitações. Quando estamos felizes, nossos olhos ficam bem abertos, curiosos, prontos para ver, se maravilhar e até se espantar com a beleza do que é visto.

Assim seja: que nossos olhos se abram e se espantem maravilhados com o amanhecer brilhante e claro da harmonia e da paz.

Que a luz infinita da Sabedoria Perfeita e da compaixão ilimitada esteja sempre presente durante todo o ano Buda de 2584 (2018).

Que sejamos capazes de encontrar a verdadeira paz e a pura tranquilidade para tomar decisões acertadas por meio do discernimento correto.

Que todos os seres possam despertar.

Que possamos todos cuidar da vida-morte do planeta e de todos os filhos e filhas da Terra.

Somos a vida-morte pulsando incessantemente.

Despertar também é clarear, amanhecer. Também é a luz do sol e da lua.

Despertar é perceber que tudo o que existe é o cossurgir interdependente e simultâneo.

Despertar é acordar para a beleza da vida-morte em sua multiplicidade de facetas.

Abrir os olhos, ver o que é assim como é e atuar com sabedoria e compaixão.

Cuidar com ternura e respeito de si mesmo e de todos os seres.

Nós, como humanidade, podemos despertar. Não apenas algumas pessoas, mas todos os seres vivos podem e devem se esforçar para esse momento lindo e mágico do amanhecer de um novo dia.

Amanhece.

O que virá?

Está clareando. Luz Sol, Luz Lua.

Que haja o cantar dos pássaros, a maciez das vozes de ternura, o ronronar dos gatos e os latidos doces de um cãozinho feliz.

No Japão, damos muita ênfase aos doze animaizinhos do horóscopo chinês – este ano é o do Cão de Madeira. O cão é parceiro do ser humano. O cão é fiel. Que possamos nos inspirar nessa capacidade de amor incondicional, de fidelidade, de servir, de proteger, de acompanhar, para fazer do Ano Buda de 2584 um ano de paz e harmonia, de respeito à mãe Natureza e a todas as formas de vida.

Que saibamos respeitar povos e culturas diferentes, religiões e crenças humanas.

Que possamos nos unir como um só povo, uma só família humana, e cuidar para que haja continuidade da espécie. Que haja amor, compartilhamento, respeito e ternura.

Que haja abundância de alimentos e de medicamentos, de moradias e atendimentos, de escolas e de docentes.

Que os governantes saibam governar para o bem de todos os seres.

Que os administradores saibam administrar para o bem comum.

Que os médicos saibam diagnosticar e receitar vendo, auscultando, observando cada pessoa com o compromisso de nunca maltratar ninguém.

Que possamos confiar na polícia e nos juristas como confiamos no Corpo de Bombeiros.

A continuidade da espécie humana depende do ar, da terra, das águas, dos animais, dos minerais, dos insetos, da atmosfera, dos ventos... Depende de todas as formas de vida que tornam possível a nossa vida.

Assim, desenvolvendo o cuidado respeitoso e a gratidão infinita, poderemos cultivar a paz.

Vamos semear bondade?

Vamos querer bem e gostar de bem querer?

Sem escolher a quem?

Reflita sobre si mesmo. Pratique *zazen*. Desperte para a mente Buda. Abra o olho de sabedoria. Aprecie sua vida.

Sem nada a perder, sem nada a ganhar.

Esclareça a verdade e o caminho.

Chegou o momento do amanhecer de uma nova consciência. O momento de esclarecer – tanto a noite como o dia, tanto o relativo como o absoluto. Pares que dependem um do outro. Seres humanos que interdependem de outros seres humanos e de outras formas de vida.

Que possamos ver com clareza a realidade e atuar de maneira decisiva para o bem de todos.

São meus votos para o Ano-Novo, que agora amanhece, clareia.

Congratulações!

Mãos em prece.

– Monja Coen

Ano 17 • nº 64

Abril/maio/junho de 2018
– Ano Buda 2584

Crença

Acredito em mim.
Acredito em você.
Acredito no ser humano e na vida.
Acredito no DNA.
Acredito na capacidade de transformação incessante.
Acredito na Lei da Origem Dependente.
Acredito no *Darma* de Buda.
Acredito na *Sanga* de Buda.
Acredito nas Três Joias.
Acredito no Corpo Uno.
Acredito na capacidade humana de reconstruir.
Num momento em que há tanta descrença, eu tenho muitas crenças.
Num momento em que há tanta desesperança, mantenho viva a chama da esperança de que podemos dar o salto quântico e transformar a realidade.
Somos a vida da Terra.
Acredito na sabedoria e na compaixão.

Mas não gosto de ser politicamente correta.
Não quero ser boazinha e gentil.
Quero ser quem sou.
E quem sou é movimento e luz, sombra e quietude.
Sou vida-morte.
Sou o tempo.
Sou o nada-tudo.
Inúmeras possibilidades.

Neste trimestre celebra-se o Dia de Buda, que no calendário oficial do Brasil coincide com o Dia das Mães. Para eruditos japoneses, a data é 8 de abril.

Teremos visitantes ilustres em maio. O reverendo Junnyu Kuroda Roshi, do Japão, e a reverenda Shugetsu Appels, da Holanda, virão autenticar o Combate do *Darma* do Monge Kojun, da comunidade zen de Ribeirão Preto. A celebração será aqui no templo em São Paulo, na noite de 25 de maio – apenas para praticantes e convidados.

E, na noite anterior, 24 de maio, o reverendo Kuroda Roshi dará ensinamentos do *Darma* no Centro de Convenções Rebouças sobre o corpo uno das Três Joias e sobre o Círculo Perfeito – Enso. Preparem-se para dez minutos de dança *butô* com a professora Emily Sugai – Shundo.

Em 30 de junho, o praticante leigo André Spinola e Castro (Genzo), que tem praticado como *shusso* desde o início do ano, fará a Cerimônia de Combate do *Darma*.

Haverá uma Assembleia Geral em 22 de abril.

Estamos lançando dois novos livros: *Zen para distraídos – Princípios para viver melhor no mundo moderno*, organizado por Nilo André

Cruz (Editora Planeta), e *O inferno somos nós – Do ódio à cultura de paz* (Papirus), um diálogo com Leandro Karnal.

O zen Vale dos Sinos, em São Leopoldo-RS, celebrou seus dez anos, e a monja Kokai Sensei fez sua primeira ordenação laica este ano.

No Via Zen, em Porto Alegre-RS, o monge Dengaku Sensei e a monja Shoden Zaguen estão providenciando a construção da nova cozinha e refeitório, após o *sesshin* de fevereiro.

Em Campina Grande-PB, o monge Ikko Zaguen e a monja Reiko mantêm a prática incessante.

Em Ribeirão Preto-SP, o monge Kojun concilia suas aulas universitárias como professor de Arquitetura e de Psicologia com a prática monástica e o desenvolvimento de uma comunidade de praticantes locais.

A monja Waho Sensei, à frente da Sala Therigatha, em São Paulo, segue ordenando leigos e leigas e realizando práticas de meditação nas ruas, às sextas-feiras.

O monge Enjo Stahel, meu primeiro discípulo monástico, abre uma nova sala no templo de Pedra Bela-SP, inaugurada por Kuroda Roshi em maio.

O zen do Brasil vai muito bem, obrigada.

Creio no zen do Brasil. E tenho muita esperança na juventude, nas gerações que vêm surgindo, cheias de questionamentos existenciais e prontas a assumir o comando de um mundo mais ético e eficiente.

Mãos em prece.

– ***Monja Coen***

Registros oficiais religiosos

Retornei ao Brasil depois de doze anos residindo no Japão e sete anteriores nos Estados Unidos, e fui convidada a trabalhar para o templo

Busshinji, no bairro da Liberdade, em São Paulo. O templo acabara de ser totalmente construído pelo reverendo Daigyo Moriyama Sookan Roshi, o superintendente da Ordem Soto Shu para a América do Sul. Ele havia retornado ao Japão, e meus superiores hierárquicos da sede administrativa me pediram para guardar o templo até que outro superintendente fosse nomeado. Assim o fiz.

As antigas casas haviam sido derrubadas, e um novo edifício, com salões espaçosos, voltou a atrair muitos descendentes – e também não descendentes – de japoneses para as práticas tradicionais do zen-budismo.

Cheguei a encontrar caixotes com fotos, copos, objetos pessoais e do templo, que eram reminiscências de Ryohan Shingu Sookan Roshi, o primeiro superintendente geral da Ordem Soto Shu para a América do Sul. Muitas coisas tinham sido destruídas e outras tinham sido levadas por monges discípulos de Shingu Sookan Roshi. Havia anais, livros de presença e muitos tabletes memoriais – alguns bem antigos, de madeira –, além de fotos de falecidos. Entre elas, uma imagem intrigante do local onde caiu a bomba de Hiroshima, na qual aparecia um vulto fantasmagórico em meio aos escombros do edifício que se tornou o monumento da Segunda Guerra Mundial.

Minha intenção era preservar o templo Busshinji, local sagrado, relicário de imigrantes japoneses, com suas crenças e seu trabalho inspirador de honra, respeito e dignidade. Fiz o que pude durante os quase sete anos em que lá fiquei. Foi durante esse período que me tornei a primeira mulher e a primeira pessoa de origem não japonesa a assumir a presidência da Federação das Seitas Budistas do Brasil por um ano. Fato histórico, memorável.

Não demorou muito para que o templo crescesse em número de adeptos. Promovemos simpósios budistas em português, encontros inter-religiosos, cursos, aulas, práticas meditativas, casamentos, enterros, missas memoriais. Abrimos o espaço para outras artes relacionadas à cultura japonesa, incluindo *baika*[9] e o Coral da Aliança Cultural Brasil-Japão.

Foi um período intenso e de muitas viagens ao interior do Brasil para conhecer imigrantes japoneses, seus descendentes e a história de sua vinda para o país. Os anos se passaram, o templo cresceu muito e nossa sede administrativa achou por bem enviar um novo superintendente para a América do Sul. Com a chegada dele, em poucos meses me afastei de minhas funções, e meus alunos iniciaram um centro de prática para dar continuidade aos seus estudos do *Darma*. O grupo cresceu, alugamos uma sala perto do Hospital das Clínicas, onde ficamos por seis anos. O grupo cresceu ainda mais e alugamos a casa onde estamos até hoje.

Há mais de doze anos fizemos a celebração da minha entrada como responsável por esse templo, nomeado Taikozan Tenzui Zenji por meu mestre de transmissão, Yogo Roshi (Zengetsu Suigan Daioshô). Essa cerimônia teve como representante oficial o então escolhido superintendente geral da Ordem Soto Shu para a América do Sul, reverendo Dosho Saikawa Sookan Roshi, que até hoje desempenha essa função. Veio especialmente do Japão o reverendo Junnyu Kuroda Roshi – o irmão mais novo do meu falecido mestre de ordenação, Maezumi Roshi (Koun Taizan Hakuyu Daioshô) –, que muito me auxiliou durante os doze anos em que vivi naquele país. Ele trouxe sua assistente do Zen River, de Amsterdã, reverenda Shugetsu. Do Zen Center of Los Angeles veio a reverenda Egyoku Nakao Roshi e seu atendente, além de vários monges e monjas de todo o Brasil. Foi uma cerimônia solene. Entretanto, o evento não foi registrado em nossa sede administrativa.

9. Prática musical baseada no canto de poemas budistas, com o acompanhamento de instrumentos simples, como pequenos sinos.

Apenas agora, mais de doze anos depois, recebi os documentos que reconhecem essa pequena casa no bairro do Pacaembu, em São Paulo, como um templo da Soto Shu. E também foi reconhecida minha posição de superiora desse templo, com o direito de usar os hábitos vermelhos que esse nível permite.

Levando tudo isso em consideração, bem como a necessidade de legalizar meus documentos de formação monástica, estamos, a partir deste ano (ano Buda 2584), traduzindo e registrando em cartório brasileiro todos os documentos relacionados aos meus estudos e graduações monásticas, bem como os da monja Zentchu Sensei e os do nosso templo.

Na assembleia geral, a ser realizada em 22 de abril, será registrada a transmissão do *Darma* para o praticante leigo Edmundo Muni, do Via Zen, de Porto Alegre, bem como a do monge Ryozan Testa, de São Paulo, que, cansado de esperar pelos reconhecimentos japoneses, fez seus votos diretamente comigo, independentemente de registros no Japão.

Assim, estamos iniciando uma nova fase – do registro oficial tanto pela Soto Shu Shumucho do Japão como pelo governo brasileiro, para que nossa autêntica prática seja também reconhecida pelos órgãos competentes.

Espero ver o desabrochar das comunidades relacionadas ao meu trabalho de difundir os ensinamentos de Xaquiamuni Buda, mestre Eihei Dogen Zenji e mestre Keizan Jokin Zenji, pois acredito firmemente que as práticas de *zazen* e os ensinamentos dos mestres e das mestras ancestrais são os fundamentos necessários para uma cultura de não violência ativa, de justiça e de cura da Terra.

Minha profunda gratidão aos atuais responsáveis pelo Departamento Educacional e Internacional de nossa sede administrativa, em Tóquio, e a todos e todas aqui no Brasil – e em vários locais do planeta

– que confiam nos ensinamentos e contribuem para que o maior número de seres possa despertar.

As facilidades midiáticas, por meio do programa *Momento Zen*, na Rádio Mundial, e do Canal Mova, no YouTube, tornam minha tarefa de difundir o *Darma* de Buda mais ampla e profunda.

Que todos os seres se beneficiem e que possamos nos tornar o Caminho Iluminado.

Mãos em prece.

– Monja Coen

Ano 17 • nº 65

Julho/agosto/setembro de 2018
– Ano Buda 2584

Gratidão ancestral

Nem todos são educados a respeitar a vida em sua pluralidade e continuidade.

Só existimos hoje porque houve quem nos antecedesse.

Somos um contínuo da vida. Sem nossos ancestrais, não estaríamos aqui.

Herdamos características físicas e psíquicas. Herdamos também o carma familiar.

Somos a continuidade dessa história ancestral de milhões de anos. Tantos e tantos seres cujas características, atividades, hábitos, nomes, doenças e forças jamais conheceremos, mas que se manifestam nas nossas vidas.

Quando nos lembramos dessa imensa árvore da vida e nos reverenciamos com ofertas, preces e uma conduta correta, estamos regando nossas próprias raízes e fortalecendo a essência da vida, desde o passado mais longínquo ao futuro mais distante. Transformamos carma ancestral com nossas atividades atuais e produzimos carma para nossos descendentes – que seja benéfico.

Há quem faça ritos memoriais apenas uma vez ao ano, em nome de todos os familiares. Há quem os faça várias vezes ao ano, em datas específicas de falecimentos dos últimos conhecidos ou nas datas históricas do budismo.

Essas cerimônias podem acontecer em julho ou agosto, por volta dos dias 13 a 18, e são chamadas, no Japão, de *Obon-e* ou *Urabon-e*. Grande memorial anual, baseado numa história da época de Buda Xaquiamuni. Um de seus discípulos, Maudigalyana, teve visões de sua falecida mãe sofrendo muita fome e sede. Tudo que ele oferecia em sua memória se transformava em material repugnante e ela jamais se satisfazia. Maudigalyana foi falar com seu mestre e pediu orientações.

Buda sugeriu que fizessem uma prece especial após os retiros da época das monções. Nessa cerimônia, com muitas ofertas de todos os tipos de alimentos, Buda invocou os espíritos de todos os mundos para que viessem se servir a seu contento e ficassem satisfeitos.

Assim surgiu o serviço memorial anual de Obon.

No Japão, foi criada uma liturgia especial para essa época do ano, quando monges e monjas trabalham muito, desde seis da manhã até as dez da noite, orando na casa de todos os membros de seus templos. No último dia, há um grande ritual no templo principal.

A mesma liturgia de Obon é repetida nos equinócios de outono e de primavera (em março e setembro no Brasil, respectivamente), numa outra celebração chamada Ohigan. Essa palavra quer também dizer *paramita* ou *haramita*, que significa a *completude*, a *perfeição*, o *acessar a margem da sabedoria perfeita*. A liturgia é semelhante à de Obon e geralmente é feita para os mortos.

Mas, assim como na celebração de Obon – na qual os vivos, depois das preces e das refeições, acabam dançando para que os mortos fiquem satisfeitos –, no Ohigan as preces não são apenas para que os mortos atravessem com mais facilidade para o *Nirvana*. Os vivos também podem atravessar o rio de nascimento, velhice e morte com mais facilidade se praticarem os ensinamentos dos Seis *Paramitas* ou *Haramitas*, também chamados de Seis Perfeições:

Dana Paramita – Doar, compartilhar;

Shila Paramita – Preceitos, vida ética;

Kshanti Paramita – Paciência, tolerância;

Virya Paramita – Zelo, esforço;

Dhyana Paramita – Zen, meditação;

Prajna Paramita – Sabedoria, compreensão clara.

Cada um desses aspectos está relacionado aos outros. Quem for capaz de mantê-los definitivamente criará carma benéfico – a melhor maneira de honrar, agradecer e homenagear os ancestrais.

Há outra ancestralidade à qual devemos agradecer. A que se refere aos nossos estudos, trabalho, arte, filosofia, profissões e vida espiritual.

Na nossa tradição Soto Zen Shu agradecemos primeiramente a Xaquiamuni Buda, mestre fundador original. Em seguida, a toda a linhagem de monges e monjas, leigos e leigas que vêm mantendo vivos os ensinamentos e as práticas de preceitos, *zazen* e sabedoria.

Especialmente agradecemos e honramos a memória de Mahaprajapati Daioshô, a primeira monja histórica.

Nossa gratidão atual a toda linhagem monástica feminina pode se concentrar no respeito à prática e à realização da abadessa do Mosteiro Feminino de Nagoya, Aoyama Shundo Docho Roshi, minha mestra de treinamento.

A formação da Soto Shu – zen-budismo no Japão – se deve a nossos mestres fundadores, Eihei Dogen Daioshô Zenji e Keizan Jokin Daioshô Zenji, cujo memorial anual, para ambos, é celebrado no dia 29 de setembro.

Que sejamos capazes de honrar e agradecer a ancestralidade que manteve e nos transmitiu o caminho da libertação.

Que sejamos capazes de transmitir os ensinamentos para que continuem, incessantemente, a beneficiar todos os seres.

A vida ética, o respeito à tradição e aos Três Veneráveis (Xaquiamuni Buda, mestre Dogen e mestre Keizan) e a capacidade de praticar os Seis *Paramitas* em nossas atividades diárias são o caminho de gratidão ancestral por todos os que nos antecederam e por todos nós que nos propomos a nos tornar ancestrais das gerações que estão por vir.

Mãos em prece.

– Monja Coen

Ano 17 • nº 66

Outubro/novembro/dezembro de 2018
– Ano Buda 2584

Ser Buda

Budas ancestrais estimulam budas ancestrais a despertar a mente Buda. Buda transmite a Buda. Ancestral do *Darma* a ancestral do *Darma*. Apenas quando a mente Buda se manifesta a transmissão ocorre.

Não nascemos privilegiados nem possuidores da mente Buda. Ela está presente da menor partícula ao maior espaço. Não está dentro da criatura comum nem fora dela, mas muito além do dentro-fora.

Não podemos recebê-la de alguém. A mente Buda, a visão iluminada, não pode ser presenteada a ninguém. Miraculosamente, não é imposta nem doada. Depende do esforço correto, do pensamento correto, da fala correta, da memória correta, do ponto de vista correto, da meditação correta, da sabedoria perfeita, fruto do *samadhi* dos *samadhi*s.

Estimular conexões neurais capazes de transcender a mente comum é perceber, na imanência, o *eu* além do *eu*. Isso é praticar Buda – é ser Buda.

Não há um ser Buda separado da prática Buda. Praticar Buda é ser Buda no sentar, no andar, no deitar. Das ações diárias mais simples aos mais intrincados estudos acadêmicos, Buda se manifesta ou não. Dependerá de sua atitude, da autenticidade, da entrega ao Caminho e à Verdade.

Para algumas pessoas, é muito agradável estudar, decorar textos clássicos e nomes de pensadores, de místicos, de filósofos consagrados e repetir suas frases célebres. Entretanto, se não houver a experiência pessoal verdadeira, se não houver prática, não haverá realização. Será apenas como uma criança balbuciando palavras cujo sentido ainda não compreende.

Mesmo assim, quem escolhe repetir textos sagrados e inspiradores – mesmo sem praticar e sem realizar – pode ser um bodisatva disfarçado a estimular outros bodisatvas a alcançar o Caminho. Logo, nada pode ser descartado nem depreciado. As Três Joias, Buda, *Darma* e *Sanga*, devem ser respeitadas. Mesmo a repetição aparentemente vazia de compreensão profunda poderá levar – ou não – à compreensão verdadeira, à Sabedoria Iluminada.

Decorar palavras que apontem para o caminho do despertar é gravá-las no coração (sabê-las de cor), no seu *eu* mais íntimo. Embora pareça que nada está acontecendo, essas palavras trabalham internamente, de modo que, ao amadurecer espiritualmente, a pessoa seja capaz de compreendê-las.

Algumas vezes, nós trabalhamos as palavras. Outras, as palavras nos trabalham. Há momentos em que as palavras praticam as palavras e o ser pratica o ser. Quando, na quinta opção, já não se distinguem, chegamos ao ponto de partida.

Budas protegem budas. Reconhecem a prática Buda. Não são apenas os que se devotam e se esforçam, mas todos são reconhecidos e recebidos, capazes de penetrar o *samadhi*.

É preciso abandonar a ideia de ganho. Abandonar até mesmo a esperança de se tornar um Buda. Assim, sem expectativas de ganho, sem expectativas de sucesso, de aprovação, de reconhecimento, a prática verdadeira se manifesta.

A pureza é reconhecida pelos puros. Puros são os que praticam a pureza.

A justiça é feita por atos justos.

Buda é reconhecido por budas. Budas praticam budas. O estado Buda é construído por meio de práticas Buda.

Fazer votos, praticar *zazen*, seguir os preceitos, manter os compromissos com a *Sanga* e com toda a família Buda são os alicerces da casa Buda.

> “Nascer e morrer são os aspectos móveis da casa Buda.”

A frase acima é muitas vezes escrita nas bênçãos para os mantos de Buda de sete tiras (*rakusu*).

“Na casa Buda, nascer-morrer são os móveis.” E as paredes? Haverá alguma cerca, parede, janela, porta fixa e imutável? Será que toda a casa Buda não está em constante transformação?

Mesmo que nossos olhos não consigam ver, tudo está em movimento: a pedra, o teclado com o qual este texto é escrito, a tela do computador, o texto. Prótons, elétrons, nêutrons. Na maravilhosa dança cósmica.

Não há nada fixo, nada permanente. Tudo é movimento.

Podemos perceber o movimento, o fluxo da existência. Fluir de acordo é tomar decisões e criar causas e condições conforme princípios éticos. Chamamos essa decisão ética de manter os preceitos Buda.

Manter os preceitos não é apenas agir superficialmente de maneira correta para receber o reconhecimento e o aplauso dos budas e dos seres comuns. Budas percebem a superficialidade dos que fazem o politicamente correto, sem ter compreendido verdadeiramente o grande despertar.

O grande despertar exige a grande morte. Morrer para a separatividade, a dualidade. Morrer para conceitos e ideias sobre si mesmo e sobre o mundo, a fim de poder penetrar a realidade do assim como é.

A grande verdade, o *Darma*, a lei da interdependência e da impermanência são a Sabedoria Perfeita e a entrada em *Nirvana*. A Sabedoria Perfeita é a mãe de todos e todas as budas.

Pratique Buda, exercite Buda, seja Buda. Permita que se abram os portais da mente comum para que a mente Buda, sem separação e sem conflitos, seja sempre a referência para suas ações, palavras e pensamentos.

Aprecie sua vida, que é a vida da Terra, a vida do cosmos e de todos os seres.

Mãos em prece.

– *Monja Coen*

Ano 18 • nº 67

Janeiro/fevereiro/março de 2019
– Feliz Ano Buda 2585!!

Ano Buda 2585 – Ano Cristão 2019

Todo início de ano, os templos japoneses ficam muito movimentados. Monges e monjas se deslocam para auxiliar nos templos uns dos outros, a fim de realizar a Cerimônia de Dai Hannya – Grande Sabedoria.

Iniciamos invocando a Grande Sabedoria Perfeita, que liberta as pessoas das amarras e aflições impostas pela falsa percepção de que estamos separados uns dos outros e da verdade.

A Grande Sabedoria aponta para o uno, o não dual. Nesse grande Uno, até mesmo o dual está incluso. No dual, o uno não cabe. Está dividido em dois, separado por uma cerca invisível e poderosa. Algumas vezes se biparte ou se divide em várias partes, podendo chegar a dezenas, centenas, milhares, milhões, bilhões, trilhões de partes.

Como um caleidoscópio, que manifesta grande multiplicidade de cores e formatos ao ser girado e continua sendo um único caleidoscópio, nós, seres humanos, podemos apresentar grande diversidade de facetas, cores, etnias, aspirações, posicionamentos filosóficos, políticos, econômicos, educacionais e religiosos, mas continuamos sendo todos uma só família – a família humana.

O uno, que chamamos de Natureza Buda, inclui todos os seres: da menor partícula ao grande multipluricosmos. Tudo o que existe. Sem exclusão. Sem escolher, sem preferências, sem apegos e sem aversões. Aqui todas as cores e todas as formas se alternam no incessante movimento de vir a ser e deixar de ser. Nascer-morrer é transcendido. A Natureza Buda é não nascida e não morta. Está presente em cada instante e em toda parte. Algumas pessoas conseguem percebê-la.

Zazen é o portal principal para adentrar a Grande Sabedoria Perfeita.

Zazen não é sentar e sonhar.

Zazen não é cura para a depressão.

Zazen não é anestesia para as dores da vida-morte.

Zazen é o encontro do *eu* com o *Eu*. A transcendência na imanência.

Sem deixar seu corpo-mente individual, adentre a grande mente dos budas ancestrais. Sem separação, na grande unidade, perceba, acolha e transmute sua visão.

Movimento puro, transformação incessante. Querendo pegar, escapa de suas mãos. Corre mais rápido que o vento, mais veloz que as carruagens dos reis das rodas giratórias celestiais. Como alcançar o inalcançável?

Sentamo-nos em silêncio. A quietude e o movimento já não lutam, mas ocupam seus lugares, como as pausas e as notas em uma partitura musical. Como poderiam existir umas sem as outras? Como seria um texto sem pontos e sem vírgulas? Sem parágrafos e sem pausas? Observar as pausas. Penetrar o grande silêncio. Tornar-se o uno manifesto.

Janeiro é mês de preces, de liturgias especiais, de invocação do Dai Hannya: "Que toda a dualidade, dúvida, seja afastada". Monges gritam nas salas de preces, expulsando os demônios. Budas são invocados. Os templos ficam lotados de fiéis e os livros sagrados são revolvidos de um lado para o outro, de forma que o vento dos ensinamentos se espalhe por toda a sala. Os grandes tambores japoneses (*taikos*) ressoam. As preces são feitas com grande rapidez, velocidade e força. É preciso treinar o corpo e a mente. A língua deve ser hábil a pronunciar cada sílaba com precisão. Sem pular uma única sílaba, sem apressar e sem atrasar o grupo.

Nos grandes mosteiros-sede – Eiheiji, em Fukui, e Sojiji, em Yokohama –, centenas de monásticos entoam o Sutra do Coração da Grande Sabedoria Perfeita (*Maha Prajna Paramita Hridaya Sutra*, em sânscrito, e *Maka Hannya Haramita Shingyo*, em japonês).

Incensos formam uma nuvem de pureza, de preceitos, de homenagem aos budas do presente, do passado e do futuro, e todos são envolvidos por ela.

Budas são seres que vivem *Prajna Paramita*, a Sabedoria Perfeita. Seres sábios, que despertaram para a verdade da realidade última. São pessoas que colocam em prática, na vida diária, a sabedoria que vai além do saber e do não saber.

Sem apegos e sem aversões, o Caminho é fácil – conclama um texto clássico antigo. Como perceber apegos e aversões? Como se libertar da rede de *samsara*?

Orar, invocar budas, queimar incenso, fazer reverências, são todas práticas muito boas. Entretanto, nenhuma delas é suficiente se a pessoa não praticar o caminho dos budas ancestrais, se não se tornar um ser iluminado, um ser desperto.

Desperte a mente *bodai*, a mente à procura da iluminação perfeita, a mente que lê, estuda, pratica, experiencia e acorda, percebe, reconhece estar interligada, inter-relacionada a tudo e a todos.

Em cada gesto, em cada expressão facial, corporal, verbal, em cada movimento de seu corpo e de sua mente, a manifestação de toda a vida do pluriverso.

Sorria. Você é a vida, é o movimento. O que faz, fala e pensa altera a trama, a teia da existência. Escolha palavras corretas e amáveis, pensamentos de acolhida e de respeito, gestos gentis e suaves. Pronto. Eis que a mente desperta sorri e aprecia o momento.

Deixe de lado as reclamações e os preconceitos. Acolha a vida em sua pluralidade. Chore e sorria, comova-se e maravilhe-se a cada instante, sem jamais desistir de si e de outros seres: todos podem e devem despertar.

Gate, gate, paragate, parasamgate, bodhi svaha, Hannya Shingyo (Indo, indo, tendo ido, tendo chegado, honra à mente *bodai* e ao *Sutra do Coração da Sabedoria*).

Gassho.

– *Monja Coen*

Ano 18 • nº 68

Abril/maio/junho de 2019
– Ano Buda 2585

Grande Mãe *Prajna Paramita*

A mãe de todos os budas é *Prajna Paramita*, a Sabedoria Completa ou a Perfeição da Sabedoria. Seres iluminados, despertos, budas, são filhos e filhas da Perfeição da Sabedoria, ou seja, são a manifestação viva da Sabedoria.

Sabedoria não se resume apenas a conhecimentos e estudos, embora estes façam parte dela. É a aplicação desses conhecimentos e estudos em nossas decisões, atitudes, pensamentos e falas diárias. A transformação ocorre por meio da meditação profunda sobre o vazio de qualquer autoidentidade fixa ou permanente.

O texto original de *Prajna Paramita*, de cem mil linhas, é chamado de *Grande Mãe*. Há vários outros textos derivados deste. Seja qual for, deve ser primeiramente lido, depois questionado, criticamente investigado. Pode abrir profundos níveis de conhecimento, indo além do que até então acreditávamos ser real. Deve ser debatido entre praticantes e, finalmente, deve ser meditado, silenciado, incorporado. O único propósito é o de libertar todos os seres e transformar a vida de todos em amor e plenitude. De *Prajna* surge o cuidado e o contentamento com a existência.

Sem apegos e sem aversões, sem ódios e sem paixões avassaladoras, sem nada por que matar ou morrer, o Ser Iluminado caminha livre. Não se envolve em discussões e lutas, em violências e mazelas. Carrega em si a luz da sabedoria, capaz de iluminar até as mentes mais obscurecidas ou envenenadas pela ganância, pela raiva e pela ignorância.

Prajna Paramita é a base da nossa tradição. É um dos Seis *Paramitas*, ou Seis Perfeições: doação, preceitos, paciência, esforço, meditação e sabedoria. A prática das Seis Perfeições nos leva até a margem da liberdade, da harmonia, do prazer na existência, dos relacionamentos suaves e respeitosos com todos os seres.

É chamada de Grande Mãe porque gera inumeráveis seres sábios, sempre nos orientando e nos protegendo contra os ataques da ignorância e da delusão. Quando tristes, duvidosos ou confusos, nos voltamos aos textos de *Prajna Paramita* e aos processos meditativos para encontrar a paz e a tranquilidade de *Nirvana*.

Nesta época do ano, celebramos o nascimento de Sidarta Gautama (8 de abril), que mais tarde (em 8 de dezembro) se torna o Buda Xaquiamuni – após uma semana de reflexão profunda, libertando-se de todas as dualidades e sendo a manifestação pura da Sabedoria Perfeita. Buda ensina e transforma seres até entrar em *Parinirvana* (aos oitenta anos, no que seria hoje 15 de fevereiro). Seu legado de ensinamentos, deixado há mais de 2.600 anos, continua a inspirar inumeráveis seguidores no mundo todo.

Algumas ordens budistas do sul da Ásia definiram a lua cheia de maio como a época para celebrar Buda em todas as fases de sua vida. Essa comemoração, chamada Vesak, não é reconhecida pelo budismo japonês (que celebra o nascimento de Sidarta Gautama em abril). Todos os anos, no início de abril, há o Festival das Flores, no bairro da

Liberdade, em São Paulo, ao fim do qual a imagem de Buda é levada em uma procissão pelas ruas.

No Brasil, comemora-se, em maio, o Dia das Mães. Este coincide com o dia que o país reconhece como o Dia de Buda (o segundo domingo de maio). Nós honramos e celebramos – todos os dias e em todos os momentos – a Grande Mãe *Prajna Paramita*, que nos liberta das insatisfações, das dúvidas e dos pontos de vista errôneos trazendo a luz da verdade por meio dos ensinamentos da vacuidade, da transitoriedade e da lei de origem dependente.

Assim nos tornamos seres hábeis, capazes de viver com plenitude e sabedoria, de beneficiar todos os seres e elevá-los aos níveis superiores de compreensão da realidade.

Nada fixo, nada permanente. Ao mesmo tempo, tudo está interconectado, *intersendo*. Sem uma autoidentidade fixa, congelada, percebemos a transitoriedade da existência e a lei de origem dependente. Sabemos que há insatisfações, causadas pela ignorância, e que há *Nirvana*, paz e tranquilidade, adquiridos pelo despertar da mente Buda e pelo encontro com a Grande Mãe *Prajna Paramita*.

Que todos os seres despertem e que possamos viver em harmonia e respeito, apreciando a vida e cuidando respeitosamente de todas as manifestações existentes.

Namu Prajna Paramita (Sabedoria Perfeita)
Namu Kanzeon Bodisatva (Compaixão Ilimitada)
Mãos em prece.

– *Monja Coen*

Ano 18 • nº 69

Julho/agosto/setembro de 2019
– Ano Buda 2585

Travessia

Travessia sem travessas.

Impressas em nossa mente as memórias ancestrais.

Divagando nas vagas do mar.

Como garrafas flutuantes, contendo mensagens.

Quem as irá encontrar? Quem poderá decifrar a mensagem sagrada?

A vida humana registrada em massa cinzenta.

Vários tons, muitos milhões de anos. Nada se perde. Tudo se recria.

Surpreendente mente.

Como poderia Buda saber, há 2.600 anos, o que hoje a ciência está descobrindo?

Que capacidade é essa do ser humano de perceber o imperceptível?

Inteligência emocional.

Inteligência espiritual.

Não são novas inteligências. São muito, muito antigas.

Agora têm nomes, apenas nomes.

Conhecer a si mesmo, como propôs Sócrates, na Grécia antiga, é o caminho da libertação. Um conhecimento profundo e sutil, que transcende o próprio *eu*.

Muito além de uma história pessoal, de detalhes sórdidos ou belos.

Quem é este para ser conhecido?

Quem é esta que pode se autoconhecer?

Mente a mente humana. Desmente. Desmantela e reconstrói.

Atravessando umbrais tenebrosos e umbrais assombrados.

Pelas sombras, pois há luzes.

Sem a luz, onde ficaria a sombra?

Atravessando rios caudalosos de águas verdes, translúcidas, onde peixes e pedras brancas, arredondadas, brincam de esconde-esconde.

Estamos nessa travessia.

Quer de rios, quer de mares, quer de montanhas ou lagos.

Atravessamos cidades e oceanos, países e planetas.

Vagamos pelo espaço interno e pelo externo.

Descobrimos o milagre da vida e nos deslumbramos.

Depois esquecemos.

Encolhemo-nos como pequeninos fetos dentro do útero materno.

Enrolados em nós mesmos, procuramos pelo fio da meada.

Meada?

Linha, corda, seda, lã, algodão, tecido sintético, plástico.

Tudo é vida.

Vida na travessia.

Qual a sua embarcação?

Alguns de iate, lancha, navio.

Outros de prancha, alguns de *stand up paddle*.

Aviões, helicópteros, carros de corrida, motocicletas, bicicletas, pedalinhos...

A pé, de braçadas.

Travessia sem travessas, sem atalhos.
Não pode pular etapas. Uma por uma, as notas dedilhadas no violão.
O piano toca. O pintor retoca.
Dançamos o movimento puro de mover-se.
Inteiramente sós e sempre acompanhados.
Girando a roda do *Darma*, Buda suspira.
Inspira e expira conscientemente.
Sorri. Levanta uma flor.
Quem arrancou a flor da Terra?
Quem entregou a flor ainda adolescente, cortada, morrendo, sofrendo, sem seiva, sem água?
Não podemos voltar atrás.
Não podemos devolver a flor ao caule, que também murcha sem a flor.
Choramos por compreender a dor dos seres que nos ensinaram a crer que não sentem.
Tudo sente. Tudo é.
Tudo atravessa conosco e evitamos atravessadores.
Mas todos o somos.
Na grande travessia, eu escolho os ensinamentos de Buda.
E você?

Mãos em prece.

– Monja Coen Roshi

Primavera, perfeições e a Cerimônia de Ohigan-e

Na tradição budista, o equinócio de primavera oferece uma oportunidade importante à nossa prática. Nessa data, em que o dia tem a mesma duração que a noite, dizemos que o nosso mundo e a Terra Pura estão afastados pela menor distância e que, por isso, é mais fácil fazer a travessia desta margem para a outra.

Esta margem é a do sofrimento, do não saber o que fazer com o sofrimento, onde estamos sempre lidando com a nossa ganância, nossa raiva e nossa ignorância, os chamados *três venenos* no budismo. A Terra Pura está na outra margem, a da tranquilidade, da apreciação da existência, da sabedoria e da compaixão.

Essas duas margens não são locais fixos, geográficos ou mitológicos. Vivemos esses mesmos locais em nós, todos os dias, ao longo de toda a nossa vida. A Terra Pura não fica do outro lado do Oceano Atlântico ou do Pacífico; ela está ao nosso alcance aqui mesmo, onde estamos, neste exato momento. Basta que atravessemos. E atravessar fica mais fácil nessa época do ano, quando o dia e a noite têm a mesma duração.

Para atravessarmos de uma margem a outra precisamos de uma embarcação forte, estável, que nos reforce a confiança, a disposição. Esse barco é construído com as Seis *Paramitas*, ou as Seis Perfeições: ações, atitudes perante a vida que nos levam de uma margem a outra. São as Perfeições que nos permitem uma travessia tranquila através deste oceano de nascimento, velhice, doença e morte em que nos encontramos.

As Seis *Paramitas*:

1. Doação (generosidade);
2. Preceitos (vida ética);
3. Paciência (tolerância);
4. Esforço correto (perseverança);
5. *Zazen* (meditação);
6. Sabedoria (compreensão clara).

E o que fazemos ao chegar à outra margem, a margem da sabedoria, da tranquilidade e da paz? Vamos mais uma vez para a margem do sofrimento, para ajudar a trazer todos e todas que ainda estão lá, a fim de auxiliá-los na travessia. Assim ensina a Monja Coen Roshi:

> “Uma vez tendo completado a travessia, só nos resta ir para a margem oposta, a fim de conduzir, contar, explicar e divulgar que há uma outra margem, que é possível viver em harmonia e respeito, colaborando e cooperando com a natureza e com todos os seres. Perceba, não é voltar para a margem da partida. É ir para. Não há volta. A vida é um contínuo ir. Há apenas o incessante ir, tornar-se, vir a ser.”

Todos os anos, na semana dos equinócios (em março e setembro), realizamos uma cerimônia religiosa especial chamada de O-Higan-e, em japonês. *O-Higan* significa *atravessar*, *completar*, o mesmo que *Paramita*, *perfeição*, *atingir a outra margem*. Antes da cerimônia, fazemos ofertas de alimentos no altar principal. Esses alimentos são para todos os espíritos, para que fiquem satisfeitos, em paz e tranquilidade. Não apenas para os mortos, mas para que todos nós possamos fazer a travessia da vida com sabedoria e compaixão. Oramos pelos que já se foram, para que encontrem a grande tranquilidade de *Nirvana*. Oramos por todos os seres, para que encontrem a sabedoria perfeita e vivam em harmonia.

A cerimônia se inicia com preces a Kannon Bodisatva. *Kannon* significa *aquele ou aquela que observa em profundidade os lamentos do mundo* e *atende às necessidades verdadeiras*. *Bodisatva* significa *Ser Iluminado*. Assim, invocamos a compaixão ilimitada, entoando o *Daihishin Darani*, o *Darani da Grande Mente de Compaixão*. Esse *darani* descreve os méritos de Kannon Bodisatva, a de Pescoço Azul. A nossa tradição iniciou-se na Índia e há vários *daranis*, todos entoados na língua da Índia antiga. Dizem que essas palavras são tão poderosas que não é necessário traduzi-las durante as invocações. No mundo todo, budistas de diferentes idiomas entoam os mesmos *daranis* da mesma maneira, sem tradução.

O poder das palavras liberta a mente. Pessoas que memorizam essas palavras de poder, que as sabem de cor, ou seja, as colocaram em seus corações (*daranis*), são consideradas capazes de alcançar a Sabedoria Perfeita, a outra margem.

Em seguida, entoamos o *Kanromon*, o *Portal do Doce Néctar*. Traduzimos partes do texto, mas os *daranis* que aparecem no *Kanromon* são mantidos no idioma original. Começamos com homenagens a todos os budas nas dez direções, ao *Darma* e à *Sanga* nas dez direções, ao nosso mestre original, Xaquiamuni Buda, a Kannon Bodisatva, a Ananda e a todos os seres. Convidamos os Três Tesouros a se manifestarem nessa cerimônia e suplicamos pela mente de iluminação superior.

Então chamamos todos os espíritos, não só os que estão em grande agonia e sofrimento. E fazemos uma oferta de alimento a todos, vivos e mortos, em quaisquer esferas da existência. Rezamos para que todos recebam nossas ofertas e se libertem dos sofrimentos. Que despertem para a mente de iluminação superior e se tornem budas futuros.

Àqueles que realizarem o Caminho primeiro, pedimos que façam o voto do Bodisatva: que atravessem para a margem do sofrimento e ajudem a libertar todos os seres. Suplicamos por proteção, mas não para nós mesmos. Pedimos força para manter nossos votos e rezamos para que os méritos das nossas ofertas sejam transferidos a todos com igualdade.

Durante a celebração, a oficiante faz gestos específicos e entoa *daranis* de purificação, de aceitação e satisfação. Invocamos o poder das Cinco Famílias Budas, que representam os cinco aspectos da mente iluminada e nos alertam para os seus opostos. Pedimos que se manifestem não apenas nessa celebração, mas em nossa vida, em nossos pensamentos, palavras e ações.

Em primeiro lugar, invocamos os budas da Família Padma, que representam a sabedoria da percepção clara da realidade e alertam para o seu oposto: a ganância que nos impede de viver essa sabedoria. O texto diz:

> “Honra suprema a todos os budas nas esferas de fé,
> Removendo toda a ganância.
> Fortuna e sabedoria abundantes.”

Em segundo lugar, invocamos os budas da família Ratna, que representam a equanimidade e nos alertam para os perigos do orgulho. Esse é o aspecto da inclusão e da apreciação de tudo o que existe. O texto diz:

> “Honra suprema a todos os budas nas esferas de vida,
> Esmagando a não beleza.
> Perfeita aparência de corpo e mente se manifestando.”

Logo após, invocamos os budas da família Buda. Eles representam a Sabedoria Ilimitada, que permeia tudo o que existe, e nos alertam para a ignorância, um dos três venenos que nos impedem de avançar no Caminho e atingir a outra margem. O texto diz:

> “Honra suprema a todos os budas nas esferas de Buda.
> Corpos repletos dos *Darmas* infinitos
> E prazer na existência.”

Os budas da família Vajra são invocados em quarto lugar. Eles representam a sabedoria que reflete todos os fenômenos como um espelho precioso: de forma clara e sem preconceitos. Também nos alertam para o seu oposto: a agressividade, que nos impede de aprender e de evoluir por meio de uma compreensão clara da realidade. O texto diz:

> « Honra suprema a todos os budas nas esferas de estudo.
> Gargantas abertas, comer e beber
> Completamente satisfeitos. »

Finalmente, invocamos os budas da família Karma, representando a sabedoria manifesta nas nossas ações. Aqui o alerta é para os perigos da inveja e da paranoia, fontes de sofrimento nos nossos relacionamentos sociais. Dizemos que todo sofrimento é iluminado, ou seja, a partir dessas experiências podemos perceber a possibilidade de um novo Caminho, de um novo olhar, de uma nova maneira de manifestar a realidade. Diz o texto:

> « Honra suprema a todos os budas nas esferas sociais.
> Todos os sofrimentos
> São iluminados. »

Tendo invocado os Cinco Budas, as Cinco Famílias, relembramos e refletimos, colocamos em ação esses aspectos complementares da mente iluminada. Pedimos, fazemos votos, nos esforçamos para que eles se manifestem em nossos pensamentos, palavras e ações. Acordamos para a Iluminação Suprema. Somos os budas e os budas são em nós.

Finalizamos a nossa prece agradecendo a nossos pais, mães, mestras e mestres, que tanto fazem por nós. Desejamos que todos e todas pratiquem com plenitude de bens e felicidade. Pedimos pelos que já se foram, para que estejam livres de sofrimento, encontrando a verdadeira paz. Nesse momento, mencionamos os Três Mundos (passado, presente e futuro), pedindo que todos os seus habitantes leigos e leigas recebam as quatro bem-aventuranças. São elas: as riquezas vindas do esforço correto; poder fazer bom uso dessas riquezas; não possuir dívidas; não pensar, falar ou agir de forma negativa. E pedimos que aqueles que estão sofrendo nos três caminhos, atormentados pelas oito dificuldades, se arrependam e fiquem curados de todos os males.

Arrependidos e curados, pedimos então que todos e todas possam se libertar do *samsara* e nascer na Terra Pura. O *samsara* é este mundo de sofrimento, esta margem. A Terra Pura é a outra margem, de tranquilidade, sabedoria e compaixão. Na cerimônia de O-Higan-e, fazemos votos e pedimos força para a travessia por meio da prática das perfeições. Rogamos para que todos e todas atravessem de uma margem a outra.

A chegada da primavera nos lembra dessa travessia e nos proporciona uma reflexão. Primeiro, vemos o *samsara* como esta margem onde estamos e a Terra Pura como a outra margem, para onde queremos ir. Vemos uma afastada da outra por maior ou menor distância, dependendo da época do ano. Mas, por meio da prática das perfeições, de nossas ofertas e invocando as Cinco Famílias Buda, podemos desenvolver um olhar correto. Podemos ver a realidade assim como ela é e reconhecer que esta vida, esta margem, é a mesma margem da tranquilidade, da sabedoria e da compaixão. Em que margem você está agora?

– ***Monja Coen Roshi***
Genzo Sensei

Ano 18 • nº 70

Outubro/novembro/dezembro de 2019
– Ano Buda 2585

Buda

Atravessara a noite escura. Sem medo nem hesitação.

Desfez os nós dos cabelos e abraçou a solidão.

Viu fantasmas, ouviu vozes.

Provocado pela morte, escolheu a vida plena.

Respirava consciente.

Mente. Essa mente é Buda.

Qual mente?

A sua, a minha, a dele e a dela.

Deixou família, filho, trono, posição.

Deixou o conforto de saber o que pensava ser seu *eu*.

Correu.

Sentou-se na mata, picado por insetos.

Ficou tão quieto que pássaros fizeram um ninho em sua cabeça.

Imóvel.

Seria um galho? Um arbusto?

As aranhas fizeram suas teias e as ervas cresceram entre seus braços e pernas.

Era a vida da Terra. Tornou-se o todo, sendo o nada.
Já não era quem ali chegou, nem quem dali partiria.
Respirava consciente.
Mente.
Mente Buda.
Qual a sua? Estaria separado ou apenas interconectado?
Passaram pensamentos bonitos e feios.
Vozes tenebrosas e sedutoras.
Silêncios e sons.
Sem se prender a coisa alguma.
Sem afastar o que viesse.
Observação profunda.
Intersendo com tudo o que há, foi e será.
Buda.
Ser humano desperto, liberto das amarras do ego.
Quem diria que ele poderia?
Príncipe perfeito, inteligente, mimado.
Acostumado ao palácio e a carros blindados.
Vai viver na rua, entre pobres e drogados.
Emagrece, fica fraco.
Na mata, com carrapatos?
Suporta as dificuldades do corpo emaciado.
Suporta as dificuldades da mente assustada.
Estava pior agora do que antes de se sentar.
Será que a meditação o fazia piorar?
Qual o sentido da vida? Quais os sentidos a dar?
Longe longe ficara o pai.
Longe longe ficara o filho.
Longe longe ficara a mãe.
Longe longe ficaram o palácio, os amigos, os empregados, seus animais,

suas árvores, suas casas, suas amadas, seu cavalo.

Voltar?

Jamais.

Primeiro teria de terminar a viagem interior.

Conhecer a si.

Conhecer a mente.

Conhecer o corpo.

Espírito...

Inspirando e expirando, aceita alimentos simples.

Banha-se finalmente.

Respira.

Torna a sentar-se.

Ah! O *zazen* da Mahayana.

A este, o maior dos elogios.

Shikantaza – apenas sentar-se.

Sem expectativas.

Tudo passa.

Tudo vem e tudo vai.

O céu não escolhe as nuvens e as deixa desfilar.

Pensar e não pensar.

Caminha suavemente nas pedras, na terra, na grama, nos espinhos e nas raízes das árvores.

Já não sonha.

Já não canta.

Já não fala.

Olhos maravilhados ao ver a estrela da manhã.

Lua cheia, lua nova, quarto crescente e minguante.

Lua, lua ensolarada, seu brilho faz mais escuras as sombras, espectros sem luz própria ou emprestada.

Então, tudo se aquietou.

Até as cigarras e os pássaros.

No silêncio da mente, o silêncio da mata.

Tudo era a estrela.

Ele era ela. Ela era ele.

Já não havia nem ele nem ela.

"Eu, a grande Terra e todos os seres, juntos, simultaneamente nos tornamos o Caminho."

O Caminho é o mesmo que a verdade, é a realidade do assim como é. E o assim como é está em movimento, transformação incessante.

Não há mais separação – frase Buda.

O *eu* é a grande Terra.

O *eu* é todos os seres.

O *eu* é o Caminho.

Mente Buda.

A mente é Buda.

Buda é a mente.

A minha, a sua, a dele, a dela.

Buda é Buda.

Mente é mente.

Desmente?

Demente?

Doente?

Sabedoria pura.

Compaixão ilimitada.

Amanhece.

Dezembro.

Buda nasce Buda.

Mãos em prece.

– *Monja Coen*

ZH

Julho de 2020

Ponto de Virada

> "É agora.
> Se você não perceber, o diabo adentra a sua casa.
> Se você perceber, se tornará uma pessoa sábia.
> Basta um finíssimo fio de seda de diferença,
> e a harmonia se quebra.
> Quando *corpo-mente* flui com o fluir da vida, há tranquilidade.
> Quando corpo e mente se separam, há o desequilíbrio.
> Procurar o Caminho é perder a rota.
> O Caminho está aqui, agora, onde você está."

O trecho acima foi extraído da introdução de meu novo livro, *Ponto de virada*, da editora Planeta, selo Academia.

Em janeiro vieram me propor um novo livro.

Título: *Ponto de virada*.

Fiquei pensando.

E a pandemia chegou. Chegou e atropelou.

Adentrou meu *corpo-mente*. O resto já era.

Não havia mais o que fazer. Mudar, cancelar, rever, escrever, refletir. Viver, respirar, *interser*.

Sentei-me ao computador e o texto foi sendo criado, com o coronavírus, a covid-19, o isolamento.

Paramos e ainda precisamos ficar parados. Fiquem em casa. Não é o momento de sair, passear, trabalhar como você fazia antes.

O mundo mudou – está mudando.

Eu mudei, você mudou.

Estamos juntos por meio das redes sociais.

Há tanto a aprender, tanto a ser feito.

Não dou conta de tantas notícias, de tantas novidades.

Pessoas, comunidades e administração pública trabalhando juntos para o bem comum.

Parem de dar receitas médicas, parem de pensar em como será.

Quando for, será.

Aprecie o agora.

Você pode.

Sem nostalgias, sem olhar para trás.

Sem querer que volte a ser como era e sem medo de como será.

Aprecie sua vida agora.

Tudo o que temos é este instante.

Viva com plenitude.

Aprecie poder respirar sem aparelhos, sentindo a caixa torácica expandindo e encolhendo.

Viver é bom demais.

Viva muito.

Que todos possam ser curados, que haja menos contaminações e mortes.

Que todos os seres apreciem a vida e possam ter vidas longas, com o suficiente para comer, estudar, ser cuidado e amar.

Se faltar, peça. Se sobrar, doe.

Use máscara e mantenha a distância mínima de dois metros. Não toque a face. Não toque em nada, não toque em ninguém. Lave as mãos, tome banho, lave as roupas.

Higienize-se. Aprenda a usar o computador, o celular, as novas formas de comunicação, de educação.

Perceba, o momento chegou. É tempo de mudar.

Respire e aprecie sua vida. Siga as instruções de médicos e especialistas. Ele é invisível e poderoso.

Estamos cansados de ficar em casa – todos nós.

Mas ficaremos um pouco mais. Muitos estão se recuperando. Evite o contágio do vírus, o contágio da raiva, o contágio do medo.

Espalhe harmonia e ternura, sabedoria pura.

Agradeça aos tantos e tantas que foram obrigados a sair, a trabalhar, para que você pudesse ficar em casa. Cada vida conta. Toda vida importa. Viva. Estamos juntos – cada um em seu barco, canoa, jangada, iate, transatlântico.

O mesmo mar, o mesmo *guaiba*, o mesmo pôr do sol, mas tudo está diferente – inclusive você. Aprecie.

Mãos em prece.

– Monja Coen